北京出版集团
北京少年儿童出版社

著作权合同登记号
图字:01-2009-4311

图书在版编目(CIP)数据

我为音乐狂 /（英）考古斯（Cox，M.）原著；（英）瑞弗（Reeve，P.）绘；李禾译．—2 版．—北京：北京少年儿童出版社，2010. 1（2024.7重印）
（可怕的科学·科学新知系列）
ISBN 978-7-5301-2382-9

Ⅰ.①我… Ⅱ.①考… ②瑞… ③李… Ⅲ.①音乐—少年读物 Ⅳ.J6-49

中国版本图书馆 CIP 数据核字(2009)第 182739 号

可怕的科学·科学新知系列
我为音乐狂
WO WEI YINYUE KUANG
[英] 迈克尔·考克斯 原著
[英] 菲利普·瑞弗 绘
李 禾 译
*
北 京 出 版 集 团
北 京 少 年 儿 童 出 版 社 出版
（北京北三环中路6号）
邮政编码:100120
网 址：www . bph . com . cn
北 京 少 年 儿 童 出 版 社 发 行
新 华 书 店 经 销
三河市天润建兴印务有限公司印刷
*
787 毫米 × 1092 毫米 16 开本 9. 25 印张 50 千字
2013 年 4 月第 2 版 2024 年 7 月第 42 次印刷
ISBN 978 - 7 - 5301 - 2382 - 9/N · 170
定价：22. 00 元
如有印装质量问题，由本社负责调换
质量监督电话：010 - 58572171

介绍 ………………………………………………………… 1
哦—波普——一种青少年的流行音乐 ……………… 3
播放一遍一遍又一遍 ……………………………… 19
有钱人的流行艺术 ………………………………… 32
幕间休息：测试你音乐才能的十个音乐术语 ……… 55
如果它感动你，就演奏它 ………………………… 59
这韵律源于一些优美而真诚的声音 ……………… 82
无休止的流行音乐 ………………………………… 104
无休止的流行音乐，从A到Z ……………………… 140

介绍

音乐是无形的。它飘进人们的耳朵，在人们的大脑中蜿蜒盘旋，几乎是同时，人们就开始去感受它、去思考它，并因此产生不同的行为。换句话说：音乐能使人兴奋。

▶ 音乐能使快乐的人们流泪，能使他们滋生多愁善感的情绪。

▶ 音乐能为痛苦的人们脸上增添笑容，并且使他们高兴得跳起来。

▶ 音乐能让音乐家希望自己演奏得更加完美，以至于他们不断地练习而磨破了手指……过度的苦练还可能使他们的大脑变得混乱（就像三角铁演奏员长时间听到同样的、单一不变的叮叮声而产生的情况那样！）……

▶ 有时候，音乐还能逼得人跳楼……

许多人没有音乐就无法生存。他们听CD和磁带，去音乐会、音乐节和迪斯科舞厅，其中一些人发现音乐是如此激动人心，以至于他们不厌其烦地去反复阅读这样一本关于音乐知识方面的书。

这本书将给你讲述各种各样使人兴奋的音乐，以及创作出这些激动人心的音乐的音乐家和这些音乐家使用的令人迷惑的乐器。还将向你介绍有关制造这些乐器的种种令人惊奇的信息，例如用犰狳……骨头……手提箱……猫……制成的乐器。

另外，本书还将提供关于如何在24小时内让你学会指挥一支管弦乐队、制作一把属于你自己的吉他和怎样成为一位流行音乐天皇巨星的可行性建议。

本书没有花很多篇幅去描述本该说明的各种音乐细节，但希望它是一首真正可以启发你大脑的一流乐曲。

哦—波普——一种青少年的流行音乐

在20世纪50年代，一种新人类出现了。他们不是孩子也不是成人——他们介于二者之间，被称为“青少年”。

在这一时代之前，没有“青少年”这一说法——人们通常从孩子直接进入成年。

在20世纪50年代之前，孩子们没有时间做“青少年”，因为他们太忙了：

- 很早就离开学校；
- 加班加点长时间工作；

- 贫穷；
- 当兵打仗；
- 就像他们的父母一样成长；
- 然后他们有了自己的孩子。

第二次世界大战结束后的几年，情况开始有了变化。年轻人（特别在美国和欧洲）突然拥有了比以前更多的金钱和更充裕的时间去花费。商人们（比如唱片商）认识到这群新型“青少年”可能是他们的新顾客，他们为此而忙成一团。这使得青少年感觉到自己的重要和特殊。当少男少女们意识到他们是“青少年”——他们可以选择自己的生活方式时——他们真的激动了！

他们很快就明白他们想要什么——与他们的父母不同。他们想从伙伴中凸显出来，显得邪恶而冷酷。他们想要自己的荒诞发型（代替他们父母的荒诞发型），他们想要自己的时尚、交谈方式、舞蹈……音乐。一些野性和疯狂的音乐使得他们想蹦跳、尖叫和大喊——他们想要的就是像猫王艾尔维斯·普雷斯利……查克……小理查德这些人的使人兴奋的音乐！

令人兴奋的音乐明星使你的祖父母也跟着一起“摇滚”

当摇滚巨星小理查德（出生于1935年）15岁时，他得到一份工作——在赫德森医生的巡回医药展览上表演。如果你搞不清楚情况，可以想象一下：穿着长靴，却载歌载舞的药剂师……和一支摇滚乐队……一位戴高帽的乐队经理一起站在舞台上，对着顾客声嘶力竭地推销各种各样的药物和维他命胶丸。赫德森医生的巡回医药展览，推销神奇的健康滋补品（或者称之为根本无效的颜色水，这在业内是众所周知的）。在20世纪40年代，展览非常迅速地从美国一个小镇转移到另一个小镇（这是必须的——要在人们意识到他们买了一堆垃圾并要求退钱之前离开）。小理查德的工作是满场跳舞、尖叫、唱歌和大喊，直到人们聚拢过来看看究竟发生了什么事。一旦许多人围过来，赫德森医生就大喊："你们看起来实在太糟糕了！在我一生中从来没有看到过这么多不健康的人！我敢打赌你们所有人都想再次精力充沛和富有活力，难道不是吗？"

所有的人都将挥动手杖表示赞同，并喋喋不休地讲述他们自己的病痛，然后赫德森医生指着小理查德说："想想看啊！什么东西能使人像这个年轻人一样如此健康，像他一样整天唱歌、跳舞！他有健康的体魄和充沛的精力！所有这些都是因为他喝了那么多、那么多的特制蛇油健康滋补品！"

小理查德频频点头，喝下满满一口所谓的滋补品，立刻开始跳跃、尖叫并随着摇摆舞音乐节奏摆动身体。

人群大叫："哦！""喔！"以及"拿下来，小伙子！""我可能已经110岁了，但是我真的喜欢摇滚乐！我要12瓶！"然后冲回家，喝下滋补品，等待奇迹的发生。一小时或者更久以后，人们没有感到有任何不同。最后，可怜的家伙们赶回小镇，要求退钱，但是这时候，赫德森和他的展览队早已收拾行囊，拼命逃离了那里。

当小理查德年纪稍大一些时，他决定换一份工作，因此他找到了在车站洗碗的工作。当他擦洗油污的盘子时，他喜欢一边围绕着摞得高高的盘子和平底锅跳舞，一边唱歌，好像合奏“突提—福鲁提，突提—福鲁提，突提—福鲁提，哦—喔普—波普—哞普！”

不久以后，小理查德的生活被阿特·路普完全改变了。（阿特·路普不是一种疾病，而是人名——一家唱片公司的老板。记住，如果你想在乐坛出人头地，你要有一个非常荒谬可笑的名字。）阿特·路普让邦普斯·布莱克韦尔（布莱克韦尔当然是一位唱片制作人）帮助小理查德录制一张洗涤餐具的唱片。唱片《突提—福鲁提》卖出了一百万张！刚“出炉”的青少年们，为小理查德的“卓越才华”所倾倒，疯狂，数千人涌入他的演出现场，舞台上，小理查德满场地蹦跳、尖叫、大喊并用脚弹钢琴（他从没有受过正规训练）。

后来发生了什么？你猜猜小理查德为什么不再做一名摇滚乐手？因为：

a）他加入了蓝精灵？

b）他说他收到了一个来自天堂的、要他停止的消息，因为上帝根本不喜欢那种音乐？

c）一位以前参加过医药展览的顾客在一场音乐会上认出了他，他由于参加诈骗而被捕？

答案

b）。这就是发生的真实事情。

小理查德做了一个梦：看到世界在燃烧，天空在融化，他以为这是对他某种神秘的警告。然后他听说苏联发射了人造地球卫星，他说那大概是他理应停止摇滚乐的征兆。

不久以后，在小理查德和乐队的其他成员飞往澳大利亚途中，飞机开始摇摆和颠簸。小理查德认为引擎要起火了，于是跪下来祈祷上帝拯救他的生命。他许诺：如果获救，他将永远放弃摇滚乐。飞机没有爆炸，他们全部安全抵达。小理查德是如此高兴和感谢上帝，以至摘下身上所有金饰珠宝（价值20 000美元）扔进了大海！然后他不再做摇滚乐手，而是加入圣经学校，成为理查德牧师。他开始录制福音音乐唱片，但是一些人认为，这类唱片水准赶不上他做尖叫、舞蹈的摇滚乐手时出版的唱片的一半。

做些什么吧：活动你懒散的双手！

如果20世纪50年代的摇滚青年突然迫切地渴望跳舞的话，他们是不能这么做的，因为他们是身处在拥挤的教室里、狭小的罐子般的车厢里和公共场所里。于是他们跳一种叫手部摇摆舞的舞蹈。如何去跳手部摇摆舞？——你几乎能用任何你所喜欢的音乐来练习，但是可能会发现用小理查德或者查克·贝瑞的曲子，比用《东区人》（一部英国电视剧）或者罗西尼的歌剧《威廉·退尔》的主题音乐更合适。

1. 两手击向两腿。

2. 弯曲左臂使左手竖在空中。右手托住左肘，左手的第一个手指（指大拇指旁边的手指）在空中两次画圈。

3. 两手击向两腿。

4. 弯曲右臂使右手竖在空中。左手托住右肘，右手的第一个手指（指大拇指旁边的手指）在空中两次画圈。

5. 两手交叉在胸部，一只手在另一只的上面。左手摆动到右手上面两次——右手摆动到左手上面两次。

6. 举起右手好像一位交警在示意交通停止。手画一个圈，好像在擦洗想象中的窗户。做两次，接着左手重复这个动作。

做得好！——你现在知道了手部摇摆舞的一般情况了（并且打伤了两腿）。

重要的安全和卫生警告。下列情况下请勿尝试手部摇摆舞：a）骑自行车；b）仅凭指尖挂在悬崖上；c）吃饭。

乐坛领军人物

最机密档案摘要

三个极其危险的吉他先行者——他们是令人敬佩的古典音乐的威胁！在任何时候他们都必须被监视。

*查克·贝瑞：*1926年出生于美国密苏里州圣路易市

*真名：*查尔斯·爱德华·贝瑞

*工作：*摇滚歌曲创作者/摇滚乐手

*乐器：*吉他

*外表：*小胡子，纤细的身体，大而宽松的衣服，露齿大笑

歌曲内容：

讲故事，通常是日常生活中的普通事件，例如汽车故障，赶公交，去学校。

歌曲范例：《学校的日子》（1957年）——学校的日子听起来好像是无休止的玩笑。《纳丁》（1964年）——在汽车旅行中看见美丽女孩。他要求司机停车，以便能和她聊天。《摇滚贝多芬》（1956年）——认为古典作曲家要为摇滚乐让路。

与众不同的行为：a）经常迈着他的“鸭步”（膝盖弯屈；身体佝偻；露齿而笑；唱歌；弹吉他；或者同时做以上行为！）；b）倾向于让青少年疯狂。

巴迪·霍利：1936年出生于得克萨斯州，拉博克

真名：查利·哈丁·霍利

乐器：吉他

工作：摇滚歌曲创作者/摇滚乐手

外表：纤细、年轻，大白牙，戴大黑框眼镜

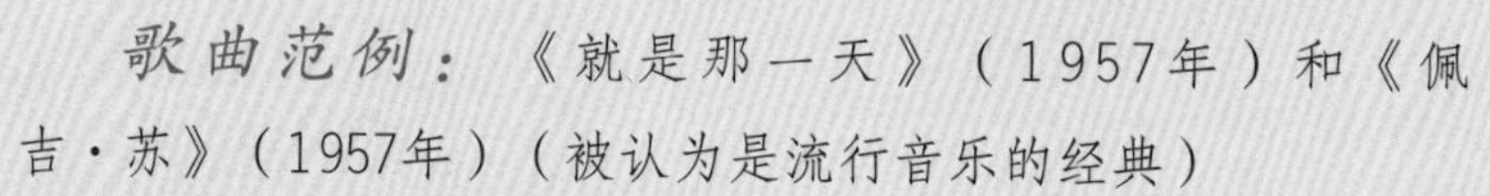

歌曲范例：《就是那一天》（1957年）和《佩吉·苏》（1957年）（被认为是流行音乐的经典）

意义重大的日期：1959年，悲剧性地死于飞机失事，年仅23岁。1977年，他当年轰动一时的唱片重新出版，仅在英国就售出一百多万张。

其他值得注意的事件：歌迷花30 000英镑拍卖到他的黑框眼镜。他的音乐和歌曲风格被大量复制，例如披头士（甲壳虫）乐队、滚石乐队。他的外表也被很多人模仿，比如歌手艾维斯·卡斯特罗和加维斯·科克。

比尔·哈利：1925年出生于美国密歇根州

工作：摇滚乐手

乐器：吉他

外表：不瘦、不年轻，大大的C形锁状头发粘在额头（众所周知的“鬈毛”），喜欢穿呢格子外衣

与众不同的行为：经常躺着弹吉他（明显是极懒！）

成名：重要歌曲《绕钟摇滚》据说是摇滚乐革命的开山之作——其实不是，它只是引起了不知道摇滚乐的人们对摇滚乐的关注。

1955—1962年摇滚乐时代大事记

1955年

▶ 小理查德的《突提——福鲁提》轰动一时，发行量达百万

▶ 比尔·哈利的《绕钟摇滚》在美国更加轰动

▶ 青少年对摇滚乐变得狂热

1956年

▶ 猫王艾尔维斯·普雷斯利以《伤心旅店》高居美国排行榜榜首

▶ “阿飞”们在英国骚乱

1957年

▶ 巴迪·霍利的《就是那一天》和《佩吉·苏》大获成功

▶ 杰里·李·刘易斯的《大火球》大获成功

▶ 比尔·哈利来到伦敦——青少年再一次为之疯狂（再次！）

1958年

▶ 猫王艾尔维斯·普雷斯利的《监狱巨石》登上英国排行榜第一

名——艾尔维斯在美军中服役两年

▶ 麦当娜出生于8月16日，美国，密歇根州，罗彻斯特

▶ 迈克尔·杰克逊生于8月29日，美国印第安纳州的盖瑞

▶ 风行一时的新玩具“弹簧单高跷”在英国消失（精确地说！）

1959年

▶ 巴迪·霍利死于飞机失事

▶ 官方统计数字表明：当时在英国有500 000名“青少年”。根据同一统计数字，20世纪50年代没有任何一个青少年（究竟这些人是从哪里来的？）

1960年

▶ “泰姆拉和摩城”音乐（节奏灵歌）开始在美国流行，“奇迹”小组以《商店周围》而出名

▶ 青少年骚乱过后，艾尔维斯·普雷斯利在西德被宣布为一号公敌

1962年

▶ 克利夫·理查德的《青年一代》在英国大获成功

▶ 古巴导弹危机——苏联偷运导弹到古巴，使苏美两国面临战争。第三次世界大战迫在眉睫！高层改变了想法（决定去听音乐而不是彼此唾骂！）

牧师……“咔嗒咔嗒”……和摇滚乐

猫王艾尔维斯·普雷斯利（1935—1977）年轻时，是卡车司机。这不是一份高薪职业，艾尔维斯经常不得不靠卖血（10美元一品脱，将近500毫升）来增加收入。但他有野心，渴望成为天皇巨星。

当他还是一个小男孩时，他凭一曲《老牧师》在一场才艺大赛中获胜。那是一首关于一只死去的宠物狗的悲伤乡村歌谣。

每个人都认为这是一首上乘佳作，但它并不是能让青少年在街头兴奋地摇啊或者滚啊的歌曲。艾尔维斯还需要一些别的东

西……比如“嘭恰恰”和“咔嗒咔嗒”之类的音乐！……那就是阿瑟“大男孩”克鲁杜皮茨（1905—1974）富有节奏感和忧伤味道的曲调。艾尔维斯听过阿瑟唱的《好极了》，认为这是一首极好的歌。随后艾尔维斯加入唱片公司。他们说：“太好了！灌唱片！”这是艾尔维斯第一次成功。一夜之间他身价百倍！演唱会上，《咔哒咔哒的摇滚》《猎犬》都使他的歌迷疯狂。他录制了更多的唱片（包括一些阿瑟·克鲁杜皮茨的歌曲）。20世纪50年代的青少年们觉得那些歌都棒极了，宁可多干家务活，也要赚些零花钱去买这些唱片。

一起摇啊，滚啊！

到23岁时，艾尔维斯身价已经达几百万。他富有到给自己买了一栋大厦，他想买多少辆卡迪拉克豪华轿车都没有问题！他把新轿车作为圣诞礼物送给家人和朋友（这仅仅花了他一点小钱！）。

艾尔维斯挺热衷于慷慨大方。一天，他驾车经过正在为他大厦修围墙的工人（歌迷为了能看见他，总是弄破围墙）。这个人羡慕地看着艾尔维斯所驾驶的新型而锃亮的轻便式卡车，说：

艾尔维斯从唱片和电影中赚了这么多钱，以至他几乎能做任何他想做的事情——包括美梦成真！

歌迷对他非常着迷（至今仍然如此）。一位年轻女歌迷告诉《周末画刊》的记者：不关掉卧室的灯，她就无法入睡，因为她觉得好像有2006只眼睛在盯着她。这些眼睛属于艾尔维斯——这女孩卧室的墙上贴了1000多张偶像的照片。那可真是疯狂啊！当1977年8月16日，艾尔维斯去世时，歌迷们冲进商店，狂购他的唱片。一天之内，2000万张唱片一抢而空。

黑人福音音乐和布鲁斯节奏给了艾尔维斯特殊的灵感。他说在他出生之前若干年，黑人一直在演奏这种音乐，却被普遍忽视，直到他的出现并进行了艾尔维斯式的诠释。融合阿瑟·克鲁杜皮茨的黑人节奏布鲁斯音乐和他本人的乡村音乐，这就是他成功的关键秘诀！艾尔维斯的一生不断创造纪录，同时不断打破纪录。他录制了90多张唱片，全部引起轰动，有100多首激动人心的单曲，其中17首名列英国排行榜第一名！

最后一节

艾尔维斯从许多人——比如“披头士”乐队和克利夫·理查德那里获得灵感。在音乐界这好像是惯例（在其他领域可能也相似吧？），好像每人都有自己的偶像，努力奋斗，为了做得与偶像一样好或更好。他们的音乐形成独有的个人风格，然后又给新一代音乐人以灵感。今天相同情况还在继续……很明显，“绿洲”乐队认为“披头士”是优秀的——那么，谁又给了“披头士”灵感呢?

尽管艾尔维斯受到了阿瑟“大男孩”克鲁杜皮茨的影响，尽管艾尔维斯对他的歌迷是慷慨的，穷困的老阿瑟“大男孩”克鲁杜皮茨并没有从艾尔维斯的那些成名曲中得到一个便士。当1974年阿瑟死去时，律师们还在争论不休：到底谁应该付什么给谁?

播放一遍一遍又一遍

成就纪录

找到永远保存声音的方法，是人类曾经面对过的最艰巨的技术挑战之一。只有那种以独特和新颖的方法处理事情，富有远见、想象力和科学眼光的人，才能解决这类问题，托马斯·阿尔瓦·爱迪生（1847—1931）就是这种人。

爱迪生8岁上学，但仅仅读了3个月，就被撵出校门，并且没有回去过。老师认为他是个白痴。还说他的脑子是无可救药的，所以他的母亲不得不亲自教育他。

幸运的是，爱迪生老师的判断完全错了。他成长为一位创造性的天才，一生中，设计了（或者说发明了）1300种不同的东西，其中包括麦克风、电灯泡和神奇的记录声音的机器——留声机。

托马斯·爱迪生的声音研究成果

当托马斯·爱迪生对他的留声机（声音记录器）产生灵感时，便要求他的一位助手约翰·克鲁西照图制作，然后他就录下了自己的声音。情况如下：

这个不可思议的新发明，使爱迪生和他的助手们如此地兴奋和惊讶，以至他们整晚不睡觉，去操作，对着留声机唱歌和倾听自己的声音。这是多么有趣啊！他们正在做首次声音录制啊！它可能有广泛流行的潜力吗？即使是爱迪生也对他那难以置信的机器感到震惊。

后来他说：

爱迪生很快意识到：这一发明将永远影响数以百万计的人们，他还列出留声机所有可能的用途。其中之一是：

1879年，留声机的第一个广告出现在一份杂志上。你判断是哪份杂志？

a）《新音乐快讯》

b）《每日摘要快递》

c）《男孩自己的报纸》

d）《无线电日报》

答案

c）。为什么？好了，在那时候，每个经营留声机的商人，都认为留声机最多只是个“玩具”，而不是举世无双的发明，他们没有料到它会有难以置信的用途——最终，将永远改变人类的收听习惯。

你喜欢的巨星在你自己家的客厅里

爱迪生正确估计到留声机的娱乐功能——几乎同时，人们冲出家门购买自己的留声机，并很快用于个人的娱乐。对于19世纪的时髦人士来说，在自己家中，私下一遍遍重复收听喜爱巨星的歌声，这样的主意是完全新奇和令人激动的改革。

对于新发明，另外一些人并非如此激动。英国作曲家阿瑟·苏利文爵士（1842—1900）就根本不认为这是个好主意。他说：

我害怕，非常糟糕和劣质的音乐都可能永远保存下来。

关于留声机

留声机是许多奇异发明的开端，它们有助于直接把所有糟糕的音乐，带进我们的起居室。发生的事情如下：

▶ 1877年：托马斯·爱迪生发明了留声机。

▶ 1878年：爱迪生的“室内说话留声机”首次销售。

▶ 1888年：在美国，贝林纳兄弟引进第一张扁平留声机唱片。

▶ 1892年：永久性唱片的发明使得一张原版唱片能复制出大量的唱片。

▶ 1895年：含虫胶原料的唱片取代了橡胶唱片——虫胶是昆虫产生的一种树胶（因此也许这些就是最初的甲虫唱片？）。

▶ 1905年：施托尔韦克唱片公司开始制作巧克力唱片。

▶ 1925年：麦克风被发明（歌手的手里终于有东西可拿了！）。第一张电唱片制作成功。

▶ 1948年：大唱片被采用。虫胶唱片被塑料唱片取代（不可思议的事情——20世纪50年代，兴起用塑料唱片做各种东西的一股狂潮。富有创造力的青少年，用滚烫的水泡软废弃的塑料单曲唱片，做成有用的家庭器具，诸如养花罐、水果碗和时钟表面……

【警告：你不能用旧的迈克尔·杰克逊和“接招”合唱团的CD来做这个——他们的歌声是如此美妙，即使那些CD是由塑料制成的。】

用你的旧CD能够做的物品

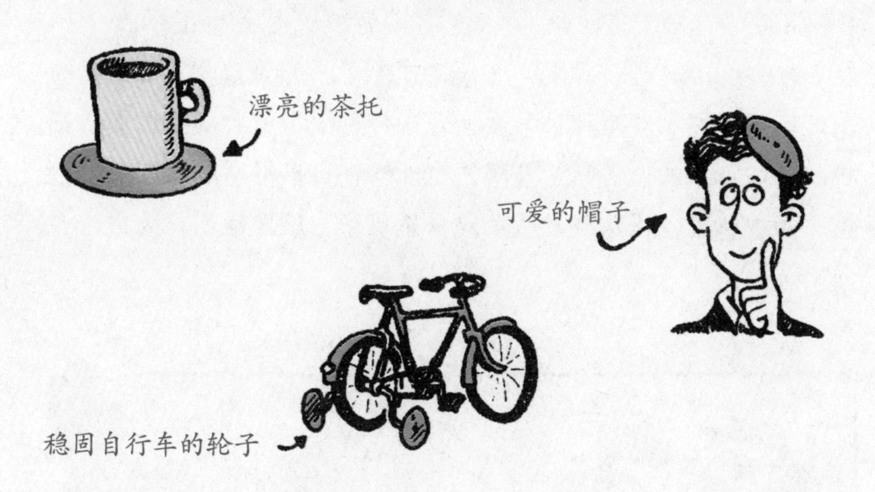

▶ 1952年：《新音乐快讯》出版了英国第一个单曲排行榜。第一名是艾尔马提诺的《在我心中》。

▶ 1958年：立体唱片（传出来自不同方向的声音）第一次在英美销售。

▶ 1963年：盒式磁带第一次在英国上市。

▶ 1968年：制造商让立体声又有了两个进步，发明了“四声道”——四个扬声器放在房间的四个角落，结果产生了在音乐厅中才可感受到的“环绕音”。

▶ 1979年：第一款索尼随身听上市。

▶ 1983年：在英美，CD首次上市。

▶ 1995年：日本东芝公司宣布开发“视频CD”（可以在视频磁带中二选一）的计划。视频唱片能容纳长达7小时的乐曲。

▶ 2000年以前：好了……你在想什么？难道高保真音响真的比现场更真实吗？有那种只要轻轻一拧开关，就会演奏出你所选择的某类音乐的设备吗？甚至还有能够在自己舒适的客厅和卧室里，播放所喜爱乐队载歌载舞的全息摄影，就像他们只为你一人演出吗？

全力以赴的竞赛

爱迪生发明留声机后，另一名科学家埃米尔·玻里纳（1851—1929）决定改进爱迪生原先的设计，用扁平圆盘式留声机取代滚筒式留声机。为了放唱片，埃米尔发明了另一种留声机。几年内，两种留声机竞争激烈，最后大众认定：他们更想要埃米尔的留声机——声音更清晰（与现代CD相比，那仍然很模糊，且有难以置信的刮擦声）。到20世纪初期，唱片最终取代了滚筒式留声机。想一想！如果没有他们的努力，今天你可能就只能自弹自唱了！

通过口香糖……好听！

埃米尔的留声机是如此流行。特殊的是，第一批留声机拥有者，被建议要通过他们的牙齿来听唱片！这是让他们或多或少按照用法说明书去做：

恭喜你！你是“留声机”值得自豪的拥有者。它应该给你带来几小时几小时的听觉愉悦。在“留声机”公司长期地耐心研究以后，我们发现听留声机的最好方法不是通过你的耳朵……而是你的牙齿！因此这就是你将需要的：

如何从你的留声机获得最多的振动：

a）一个小细棒（手杖、曲棍球杆等都是不合适的）

b）一根织补针（也就是过去缝袜子常用的东西）

c）两大块羊毛棉布

步骤：

1.把针绑在细棍上。

2.把羊毛棉布塞进耳朵。

3.把细棍放在你的牙齿之间。

4.把针尖放进唱片边缘的外凹槽。

5.给留声机上发条，使唱片每分钟确实转70转。

6.那些凹槽发出的声音，难道不像是从你的……牙齿发出的音乐吗？

所以当最后能够买到配有扬声器和弹簧的留声机时，大部分音乐迷都很高兴。多年后，情况变得更好……我们可以用电驱动唱片。

一遍……一遍……又一遍地唱

尽管新型唱片留声机有最初的“牙齿”问题，但音乐迷们显然非常高兴能反复听到自己喜爱的歌声，很快，留声机唱片就卖出了数千张。歌星本身并非总是满意于这一新技术的（即使他们能从唱片中赚得大量金钱）。19世纪唱片还无法大批量生产，这意味着音乐家一次只能录一张唱片，他们不得不一次、一次、又一次地反复表演。换句话说：每一张唱片就是一次演出（每10张唱片就是10台录音机同时工作）。

1892年，唱片“印刷”法有了进步。制作唱片的技术员“切开”一张有多首歌的原版唱片。从此，工厂里，成千上万的复制片被大规模生产和复制（“印刷”）——有点像报纸、书籍和杂志在印刷厂被印刷的情况。

啊，小狗……我的最爱！

1899年，英国画家弗朗西斯·巴罗德（1856—1924）用滚筒式留声机录下他的声音。然后对他的宠物狗“尼佩尔”播放唱片，马上，小狗就感到很惊讶。

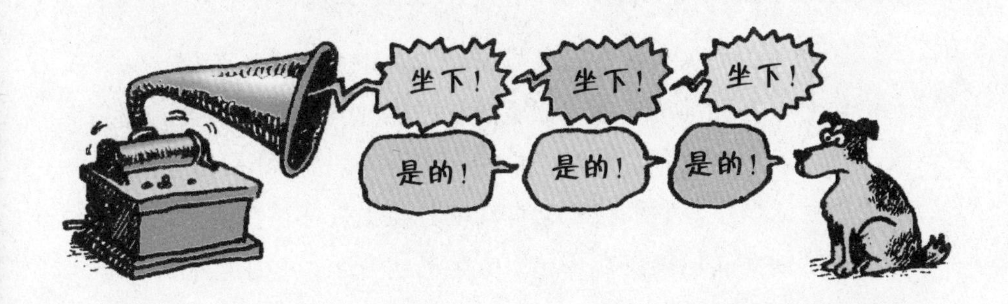

当小尼佩尔对着留声机发出的声音摇尾巴时，弗朗西斯画了一张它的画。弗朗西斯向制作留声机和唱片的一家公司，展示和推荐这幅名为《主人的声音》的画。公司表示：如果把滚筒式留声机换成平圆盘式留声机，他们就采用这幅画作为公司唱片和留声机的广告画。弗朗西斯据此做了修改，于是这幅画开始出现在全欧洲商店橱窗里。

这张广告画获得巨大成功（……同时，似乎各地的狗都冲出去购买它们的第一台留声机）。最后小尼佩尔的画像变得非常著名，听众都非常喜爱，以至这家公司决定更换自己的名字——“留声机公司”变成了“主人的声音”公司。你可能会更清楚

“HMV”（“主人的声音”的英文缩写）这一名字。

自动唱片点唱机的天堂（或地狱？）

1906年，有人提出在公共场所设置投币点唱机的建议，这样无论何时，人们都能选择他们所热爱的唱片，并花钱去听。这些机器（事实上是一种音乐自动机械）在许多娱乐场所，确实取代了活生生的歌手。它们被称为自动唱片点唱机——在美国的小酒吧和咖啡馆，人们聚集在一起，听生动的音乐，并在乐曲伴奏下翩翩起舞，度过一段美好时光。但并不是每个人都喜欢自动唱片点唱机——特别对于因此失去工作的歌手们。而且，不得不一遍遍地听别人热爱的歌曲，是非常、非常让人郁闷的。

沉默是金

当CBS唱片公司得知：一些人讨厌自动唱片点唱机的音乐，于是他们努力让这些人，可以从讨厌的乐声中获得暂时的放松。你认为他们会怎么做？

a）设有自动唱片点唱机的酒吧和咖啡馆，桌上备有小球状的免费耳塞。

b）在自动唱片点唱机的唱片库里，增加一张完全安静的唱片？

c）自动唱片点唱机连接许多双耳式耳机，这样在听众享受他们热爱的音乐时，不会干扰其他顾客。

答案

b）。1952年，CBS公司推出《三分钟安静》的唱片。就像这样……

安静，是不是？

安静唱片的狂热者可能会喜欢现代作曲家约翰·凯奇（1912—1992）的作品。1952年，凯奇创作了钢琴曲《4分33秒》。它包括一个音符（使听众明白曲子开始了）和接下来的4分33秒的完全安静，在这期间，听众可以想象任何他们想听到的……

最后的评述

托马斯·爱迪生的留声机是个伟大发明，它确定无疑让每个人的生活变得更美好，如果它没有被发明，我们可能会错过一切……不是吗？

你认为如何?

1877年以前
（在圆筒唱机发明前）
它是如此、如此的粗陋，并不像个家。
HOME SWEET HOME

1997年以后
（有了唱片后）
哦哦哦哦哦哦哦啊啊啊啊！
爱爱爱爱
爱爱！
是是是！
沙啦啦啦啦——
沙—丢—喔

有钱人的流行艺术

不是所有的音乐创造出来都是为了使人们通宵达旦地跳跃、摇晃和摆动。一些音乐是为了使人听后更富有思想、更安宁，这就是一般人心目中的古典音乐，但真的是这样吗？

阅读几个概念以便弄清楚情况（是为了解决下面的问题！）：

古典音乐：音乐学者和音乐系学生等使用的严格概念。

古典时期（大约1750—1830）是建筑、设计和绘画等艺术都表现古希腊和古罗马的古典风格时期。着重于灵活和优雅的精细结构，融合古典音乐和建筑完美平衡的构架。古典时期的代表作曲家有海顿、莫扎特和贝多芬。

古典音乐：音乐市场、电台、普通大众和本书使用的不严格（宽泛）定义……

现在选出我们能继续深入的……

不属于流行、摇滚、民间、乡村、西部、爵士乐和布鲁斯等等的所有其他音乐。代表作曲家：萨蒂、斯特拉文斯基、格兰杰、普契尼。

蒙昧的年轻人被引向一些不同类型的古典音乐

管弦乐：管弦乐是人数众多的音乐家为管乐器和弦乐器而创作的。音乐爱好者经常到音乐厅听管弦乐——有时候是80多位演奏者——演奏交响乐和协奏曲（……真的想大大咳嗽一声！）。

室内乐：室内乐队通常有3到8个演奏者。室内乐队最重要的一种形式是：四重奏——两把小提琴、一把中提琴和一把大提琴（当然加上4位表演的音乐家）。这种音乐最初是为了在小房间（或者会议室）表演而创作的。因此，如果你看到一群音乐家在旷野演奏室内乐，应该立刻提醒他们！

歌剧：歌剧是以唱代说的演出。它起源于17世纪初的意大利。如果你想表演歌剧，为什么不自己试唱一整天呢？有家人和朋友的帮助，你也能把使人厌烦的对话，变成激动人心的独唱（个人唱）和振奋激昂的合唱（群唱）。开始试试吧。

交响乐：为管弦乐队创作的一种音乐。它通常分为三至四部分（或叫“乐章”）。交响乐音乐会一般持续相当长时间（听众常常带三明治和一大堆零食）。

协奏曲：这种音乐的特点是：管弦乐队为独奏乐器的表演伴奏。由于其他乐手在适当时机的配合（……或者检查他们抽签的人数，打个小盹）使独奏表演受到极大关注。

奏鸣曲：是为一小队音乐家，或者是一个独奏加一个伴奏而创作的一种音乐类型。伴奏乐器通常是钢琴——要不就是钢琴奏鸣曲的部分乐章。

宗教剧：用音乐表现圣经故事的独唱、合唱和管弦乐。这不是歌剧，因为演员没有表演。

懂了吗？好的！你现在可以准备去听一场古典音乐会了，但是记住——你必须拿出最优雅的举止行为！所有人都知道，听古典音乐的人是绝对的可敬和风度翩翩。他们连做梦都无法理解狂野的摇滚乐，或者粗暴的朋克式的摇滚歌手……难道不是吗？

埃里克·萨蒂和大头针

法国作曲家萨蒂（1866—1925），创作了芭蕾舞剧《游行》。为了给芭蕾舞真正现代的音响，他决定给管弦乐增添一些时髦的新乐器，比如打字机……汽笛……和一把手枪！1917年，萨蒂的新作在巴黎上演，他的未来派音乐没有得到认可。“咔哒”声、汽笛声和爆破声好像刺激了部分听众的神经，他们开始发出“嘘”“嘶”的喝倒彩声，还大喊粗鲁的评论。他们一点也不欣赏它。

那时候，妇女们流行戴大帽子——为了防止赶公交时帽子掉下——她们总是用巨大的大头针牢牢地固定帽子，这给萨蒂和他的伙伴造成相当大的不幸。在芭蕾舞剧结束时，许多观众因愤怒、绝望的情绪难以自制，为了发泄对萨蒂他们古怪音乐的不满，狂怒的女人们从她们的帽子里抽出大头针，从座位上跳起来，冲向舞台，就好像握着一把迷你型刺刀在冲锋。无疑，她们断定：对萨蒂和其他音乐家需要一点短而有力的打击。

作为一位管弦乐队的音乐家，你如何理解指挥的意图？

作曲家和指挥家用意大利语指挥其他音乐家演奏。“拿起小提琴，注意！”如果指挥大喊以下这些词语，他或她知道是什么意思吗？

1. 拨奏！

a）你拉出来的声音怎么像一只微醉的猫？

b）万岁，送比萨的人在这里吗？

c）拨动你乐器的弦，而不是拉弓。

2. 渐弱!

a）不再看窗外?

b）让你的力度越来越弱?

c）让你的力度越来越强?

3. 广板!

a）拉得慢些?

b）唤醒莉娜，这也是你的意思吗?

c）拉得快些?

4. 慢板!

a）每个人都唱“啦—啦—啦—啦”?

b）慢而平稳的方式演奏?

c）演奏许多真正的大音符?

5. 合奏!

a）整个管弦乐队都演奏这部分?

b）演奏这部分的每个人都是小理查德风格?

c）每个人都吹喇叭?

6. 用弓拉!

a）听我的?

b）演奏者用你的弓？

c）每个人举起乐器示意？

7. 精神饱满！

a）精神饱满些？

b）更多唾沫？

c）拿出笔，做个记录？

8. 连奏！

a）让我们演奏得流畅些？

b）让我们演奏得干净利落些？

c）让我们都戛然而止？

答案

1. c；2. b；3. a；4. b；5. a；6. b；7. a；8. a。

三个激动人心的破纪录者——伴随着雷鸣般的掌声！

古典音乐迷并不是像很多人认为的那样都是些穿着浆了硬领衬衫和性格沉闷的人，就像流行艺术家对流行艺术那样，他们对古典音乐也充满激情和热心。如果他们喜欢一段激动人心的音乐，肯定不吝于表达自己的欣赏。有时，当他们听到极好的表演时，掌声响起……继续……再继续……

▶ 在1991年的维也纳，威尔第的《奥赛罗》演出结束时，观众认为普拉西多·多明戈（出生于1941年）唱得好极了。他们开始为这位歌剧明星鼓掌，掌声持续了1小时20分钟。

▶ 次数最多的谢幕纪录是歌剧大师鲁契亚诺·帕瓦罗蒂（出生于1935年）所创造。在1988年的一次演出中，他竟然谢幕165次。观众并没有过分的举止，他们总共鼓掌1小时7分钟。

▶ 当观众特别喜欢一次演出时，通常会要求“再来一次”（再来一曲独唱或者其他某些乐曲）。1792年，奥匈帝国皇帝利奥波德二世被奇马罗萨（1749—1801）的一出歌剧表演震撼，并

着了迷，竟然要求表演者再演一次这部歌剧！拒绝像皇帝这样有权势而无情的人的要求，对你的健康而言是非常可怕的，这就是“再来一次，奇马罗萨”的现实。

▶ 古典音乐会的观众有时深受音乐家表演的影响，以至会回报表演者大量的黄油……是牛油！在19世纪，南欧表演乡村音乐的艺人会被农家院里各色俱全的肥料袭击，这样的情况下，演出自然无法达到应有的水准。

1913年的巴黎，一些特殊的音乐使古典音乐迷气歪了鼻子。俄国作曲家伊戈尔·斯特拉文斯基（1882—1971），创作了芭蕾舞剧《春之祭》。该舞剧讲述了一位年轻女孩作为献给春神的祭品，被迫跳舞至死。首演时，观众期望能看到优美、迷人和有关快乐春天的芭蕾舞（小兔子、水仙花……诸如此类的事物），因此，当观众看到衣着简陋的舞蹈者傲慢地围着布景蹦来跳去，他们粗野而骇人听闻地撕扯着斯特拉文斯基的乐谱——观众相当愤怒。他们没有满足于仅仅是扔烂水果、“嘘”和“嘶”、撕碎节目单或者发出嘲笑和轻蔑的咂舌声（当他们不高兴时通常会干的事情）——他们决定竭尽全力制造骚乱。

WAM（莫扎特）——大人物们的最爱！

当奥地利作曲家沃尔夫冈·阿马德乌斯·莫扎特（1756—1791）演奏他的音乐时，18世纪的欧洲统治阶层没有骚乱或者丢牛油——他们喘息着，这样说：

多么美妙的音乐啊！莫扎特真是棒极了！哦，如果他能来，并且在我的城堡里演奏一场——我是多么高兴啊！

直到19世纪，古典音乐都不是对大众演奏，莫扎特时代也是如此，只是在富有及有权势的贵族家里做私人演奏。只有最富裕的家庭才供养得起大批音乐家——在宫殿和官邸中永远准备演出，因此，贵族无论何时想听音乐，都能得到音乐方面的娱乐——这很像今天几乎家家会有的私人音响设备——但是声音质量更逼真！

莫扎特想吸引普通民众。尝试着给他的音乐以谦逊和朴实的感觉，因为他想直接激发普通民众的感情——一度使他直率和诚实的音乐中竟然有“像母猪一样虚无懒散”的气质！莫扎特的部分歌剧成为那个时期的“流行音乐”。

莫扎特的欧洲大漫游（1763—1766）

1760年整整一年间，莫扎特通过公路漫游欧洲，其间他拜访了以下这些地方：

他为那时候的贵族家庭举办音乐会，听众包括王子、王后和皇帝。贵族们都为之疯狂！这里有一些这位伟大的音乐天才在旅程中所发生的事情——哪些是真的，哪些是假的?

1. 莫扎特被邀请到奥地利皇帝弗朗西斯一世的宫廷做客，这样可以娱乐皇帝和他的朋友。在拜访期间，伟大的音乐家滑倒在擦得发亮的地板上，四脚朝天。皇帝的女儿玛丽拉起他，让他后退站好，给他热情的拥抱和亲吻。莫扎特立刻回吻她，还说：“您是非常仁慈的，我将来要和您结婚！”

真/假

2. 莫扎特在英国时，他访问了伦敦塔。那时候，塔里有饲养狮子的传统。狮子看见了莫扎特，它们凶恶的吼声立刻使伟大的天才发抖，并且流下了眼泪。

真/假

3. 当莫扎特不需要在很多富有而欣赏他的听众面前演奏音乐时，他喜欢自娱自乐。他最中意的、放松和解除一次国际大漫游压力的方法是：两腿间夹着一根棍子，假装在骑马。然后他快乐地满屋飞跑，咂舌头，发出各种噪声……

真/假

答案

以上都是真的！为什么？因为当莫扎特开始欧洲大漫游时，年仅7岁！他就是所谓的“神童”——这种人在成名之前的缓慢成长中毫不起眼，因此他们几乎是在眨眼之间就显赫的。

莫扎特，掀起狂潮的孩子！

年谱：

3岁：学会弹Clavier（钢琴的前身），而且弹得极好。

5岁：学会阅读和书写乐曲，创作自己的协奏曲。

7岁：精通小提琴——在音乐会上优美地演奏（不像是那种垂死的猫叫声）。

12岁：作曲和指挥第一部歌剧，创作了80多部乐曲，包括弥撒曲、交响乐和咏叹调，这时他已经世界闻名了。

▶ 作曲家约瑟夫·海顿（1732—1809）曾经对莫扎特的父亲说："作为一个诚实的人，我告诉你，你儿子是我所知道的最伟大的作曲家！"另一位作曲家德沃夏克（1841—1904）说："莫扎特是阳光！"

▶ 莫扎特死时年仅36岁（……考虑到他这么早就开始了音乐生涯，他最终还算是有非常辉煌的一生！）。几乎可以肯定，要不是他爆发得如此之早，可能他根本挤不出时间去创作音乐：

▶ 20部歌剧和小歌剧

▶ 41部交响乐

▶ 27部钢琴协奏曲

▶ 23部四重奏（4个弦乐器演奏的音乐）

▶ 40首小提琴奏鸣曲

还有更多、更多、更多的宏伟乐曲！

绝无仅有的路德维希·凡·贝多芬！

莫扎特所赞赏的作曲家之一是德国的路德维希·凡·贝多芬（1770—1827）。莫扎特认为年轻的贝多芬在音乐方面前途无量。他说："不久以后贝多芬将震动全世界。"他是正确的！贝多芬的一生创作了许多伟大的作品……还对音乐本身进行了重大革新。

职业音乐家——贝多芬的音乐生涯主要大事：

▶ 他最著名的作品是《第五交响乐》。你可能听说过。它是这么开始的……"铛铛铛……铛！……铛铛铛……铛！"

▶ 英国作家E.M.福斯特（1879—1970年）认为，《第五交响乐》是"穿透人类耳膜的最庄严崇高的声音"。

▶ 美国流行歌手比利·乔尔（出生于1949年）评价《第五交响乐》："命运在敲门。它是人类历史上最大的震撼之一。虽然没有看见命运之神，但根本不需要看到。"

▶ 虽然贝多芬按照18世纪晚期盛行的"古典曲式"作曲，但是他的作品比他之前的作曲家，少了很多形式上的讲究，却更富有戏剧冲突性。他打破了相当多的规范——那是所有其他作曲家严格遵循的，所以他的作品包含高昂的激情和饱满的感情。

▶ 如果你听《第五交响乐》，就会发现它从轻柔乐章到高亢乐章的急剧变化使人震惊，速度从缓慢突然转变到快速，高扬的独奏曲，爆发的顶峰，胜利的号角声，使人心跳停止的喇叭和（偶尔）过分的小提琴——你将能理解德国剧作家贝尔托特·布莱希特（1898—1956）对贝多芬音乐的评价：“总使人联想起一场战斗的画面。”

▶ 现代政治家明显赞赏贝多芬音乐有振奋人心、激励斗志的效果——欧盟的会歌就是选自《第九交响乐》的《欢乐颂》（现在起立……唱！）。

▶ 听贝多芬的《田园交响乐》《第六交响乐》，有雷鸣鼓声和极其蛮横的弦乐的咆哮“暴风雨”，在你明白这只是演奏之前，你可能正躲在桌子底下……或者不顾一切地寻找雨靴和雨伞！

▶ 听到第二乐章，你将惊奇地发觉好像站在打开的窗边，单簧管听起来像布谷鸟的叫声，长笛的颤音像夜莺在歌唱，双簧管像是鹌鹑在低鸣。

▶ 贝多芬无论在生活还是在音乐方面，都是很有独立性的作曲家。他并不喜欢那些旧的音乐家（比如莫扎特），不得不依靠欧洲一些权高位重的贵族来支撑他们的音乐生涯，他想要自由，走自己的路。总之，统治阶层对他印象不深。他更赞赏亲手创造成功和财富的人而不是一些坐享其成的继承者。

他的话很尖锐，难道不是吗？

▶ 贝多芬的音乐较少有形式方面的约束，剧变的音响使听众在脑海中，浮现出大自然的美景和宁静的心境，如同“浪漫主义”的代表作曲家肖邦（1810—1849）、李斯特（1811—1886）和勃拉姆斯（1833—1897），他们都与严格意义上的“古典主义”相对立！

是什么使得莫扎特和贝多芬这样的作曲家和演奏家，能够这样伟大？他们的非凡才华来自何方？如果想成为古典音乐的天才，该做什么？好了，有一点很清楚——必须尽早开始！如果打算成为像莫扎特一样的神童，决不能拖到32岁才开始。在出生前就着手准备可能是个好主意……这对妈妈们可能更有用——特别要像帕西·格兰杰的母亲一样。

R.格兰杰夫人把孩子培养成超级明星的方法

很多人认为澳大利亚音乐家帕西·格兰杰（1882—1961）是个天才。著名音乐家爱德华·格里格（1843—1907）的评价是：“伟大的艺术家，卓有才华的人！”

格兰杰是杰出的钢琴家、世界闻名的作曲家、民间歌谣收藏家和乐器发明家。最著名的改编乐曲之一是《英国的乡村花园》——它的翻唱版本1962年荣登英国排行榜。

格兰杰夫人决定：小格兰杰要成长为有特殊天赋的人。

1.当格兰杰夫人怀孕时，每天下午放一个希腊雕塑在床边，盯着看。当她打瞌睡时，就思考艺术、美好的事物和富有创造性的事情。

2.当帕西还是小男孩时，她就要求他待在家里（远离其他男孩），阅读和学习音乐，画母鸡图……临摹他父亲收集的裸体画。

3.她要求他每天至少练习两小时钢琴，如果不听话，就用马鞭鞭打。

当格兰杰十岁时，他已经举办了12场成功的音乐会，每个人都认为他是少年奇才（类似于神童但难以断言）。

“抚慰粗野的胸怀”

格兰杰长大后行为古怪，过分活跃，但是他创作的大量乐曲却是优雅、积极和非常敏锐的。英国剧作家和诗人威廉·康格里夫（1670—1729）认为他的音乐“有抚慰粗野的胸怀、软化顽石或使千年老树弯腰的魅力”。

威廉是对的，音乐的效果惊人——快乐的音乐能使狂暴的情绪在一秒钟内转变成“咕噜咕噜”的小猫咪的叫声……作曲家亚历山德罗·史特拉德拉发现音乐不仅影响心境，甚至能拯救生命。

杀手们来到亚历山德罗最新音乐作品——宗教剧《乔凡娜·圣·巴蒂斯塔》的演出大厅，他们计划跟随亚历山德罗回家，再实施他们的罪恶行为……

在等候音乐会结束时，他们却越来越被音乐打动……

当表演结束时，他们被深深地感动，以致无法下手杀掉创作出这么美好音乐的人。

他们立刻坦白了打算实施的罪恶行为，还建议亚历山德罗躲起来，以免受到伤害。

指挥棒砸死人的故事！

前面是一个美好的故事，不是吗？现在这个故事是悲伤的！音乐不仅能拯救生命，还能置人于死地……

巴黎新闻1687
卢利去世！

我们沉痛地报道意大利作曲家让——巴蒂斯特·卢利（出生于1632年）的悲剧性去世。卢利先生是杰出和多才多艺的音乐家。在他的艺术生涯中，他是流浪音乐家、芭蕾舞者、小提琴手、弦乐队队长以及芭蕾舞乐和其他音乐的作曲家。最后，成为我们尊敬的国王——路易十四的皇家御用指挥。卢利先生正在指挥演奏一首乐曲，那是他为了庆祝国王陛下大病初愈而创作的。当乐曲演奏时，他用一大棒打拍子。不幸的是，当他挥棒指挥时，大棒意外地砸到了脚。后来水泡溃烂，卢利先生不治身亡。卢利先生的死是我们最悲痛的损失。

不要低估指挥棒

当让——巴蒂斯特·卢利用棒子砸到自己时，他正在进行被称为“指挥”的音乐活动。你可能在电视或者音乐会上看到过指挥神气活现地挥舞着指挥棒。有人以为他们的工作很容易——其实不是！它是要求苛刻、使人精疲力竭的一项工作——部分指挥在演出期间体重下降。指挥的主要任务之一是：确保管弦乐队的所有成员在一起演奏，以演奏出和谐一致的音乐。

我们不妨做些事情：指挥属于你自己的管弦乐队

在这里，你将知道怎样做，你才可以面对如此多的音乐家，挥舞指挥棒，发挥一个指挥的能力和影响力。你将需要：

a）一个交响乐团。有时它需要提前几个月预订。如果你无法得到一个，不要沮丧，准备一张CD或者录音机即可。

b）某些交响乐的CD或者磁带，例如莫扎特作品第25号交响乐，贝多芬《田园交响乐》。

c）一根指挥棒——这是你自己的指挥棒。可供选择的有：一支钝头铅笔、一根香蕉、一根胡萝卜、一根棍子、一个大黄（一种植物）和一把芹菜，不过要避免所有尖利的东西。

d）一座乐队指挥台（可随意选择）。这是指挥站的小平台。一米半高，是为了让下面的音乐家更多地看到你手的动作，如果你找不到……你将不得不站在椅子上。

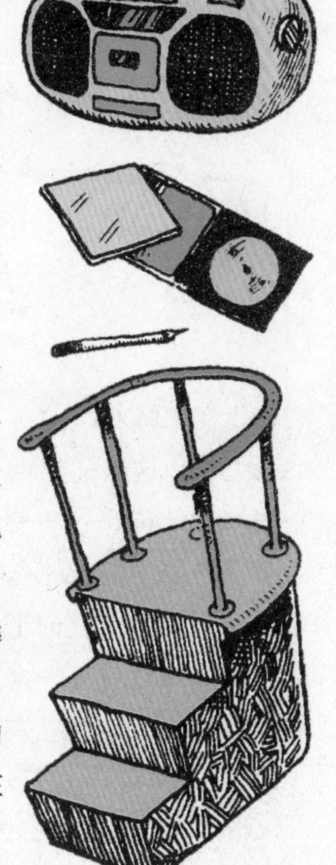

e）漂亮的外套。一个白色的蝴蝶结和一套燕尾服就很完美了。但是你穿的是学校的制服、低级的护士服或者高空作业建筑工人的工作服将是一种失败。因为如果你想得到观众和音乐家（或者CD唱机）的尊重，这是基本的装备。

做什么：

1. 右手举起指挥棒，控制音乐演奏的速度（拍子）。你的动作要按照你所选择乐章的“节拍要求”。有3个步骤要做：

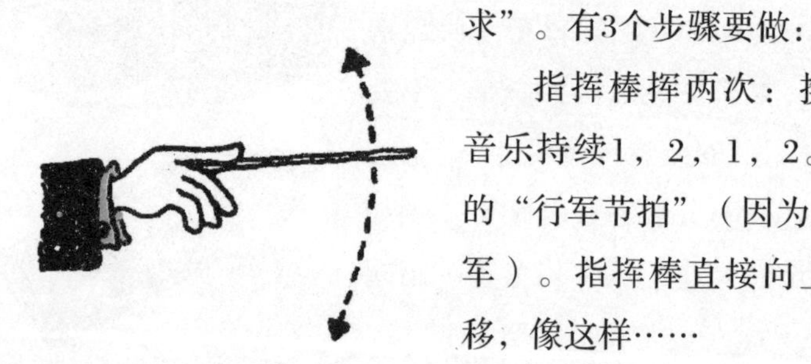

指挥棒挥两次：换句话说，音乐持续1，2，1，2。这是闻名的“行军节拍”（因为这有利于行军）。指挥棒直接向上，然后下移，像这样……

指挥棒挥3次：1，2，3，1，2，3。这是闻名的“华尔兹舞节拍（因为这方便跳华尔兹舞）”。你必须挥动3次，形成一个三角形：向下、向右和再次回到原位。一定要很小心，最后一下要竖立在你的鼻子前！

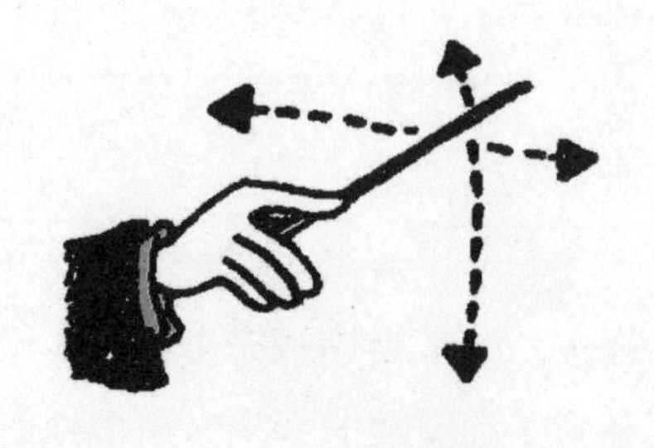

指挥棒挥4次：1，2，3，4，1，2，3，4。你必须做交叉运动。向下、向左、向右和向上（……现在打开你的手臂！）。

记住，指挥的一个最重要的任务是：确保整个交响乐团保持完美的节拍——因此，在演奏期间，无论发生什么，都不能放松音乐的速度（尽一切努力，过后再发火！）。

2. 当不同的演奏者开始演奏时，你可以用左手持棒或者示意“插入”。当你想要演奏者安静时，也可以用左手“嘘”他们。假如你有比一般人更长的手臂，小心，当演奏者直接坐在你的对面时，不要戳到第一小提琴手的牙齿，或者击落中提琴手的眼镜。

3. 用指挥棒做夸大的手势，好像这样。

4. 用脸部表情，比如眨眼、露齿笑来对你的演奏者进行微妙的指挥，不过在紧急情况下，要设法避免咆哮、吐唾沫和伸舌头。

5. 你整个身体都可以狂野地跳跃，但是要确保不会从指挥台上摔下来。翻筋斗、侧手翻和“倒挂金钟”等动作在安静的乐章时，最好避免去做。

音乐不是流行的……而是大众的!

1990年，普契尼歌剧的一首咏叹调（独奏曲）被BBC选为世界杯足球赛的主题曲。这首咏叹调是歌剧《图兰朵》中，卢西亚诺·帕瓦罗蒂演唱的《今夜无人入睡》。整个乐章逐步到达激昂的高潮，男高音从肺中涌出他自信的歌声……歌声伴随着一次慢动作的重新射门，受伤了！最后一分钟则是超人式的破门得分。

当这首单曲播放时，它荣获英国流行音乐单曲排行榜前20名的第三名，人们在任何一个角落里都能听到低声的和高声的这首歌的旋律，数以千计的、以前根本一点都不了解歌剧的流行音乐迷（和足球迷），第一次知道了普契尼的音乐，并且为之着迷。可能之前有人觉得古典音乐有点可怕。但是在听了《今夜无人入睡》后，也许会明白他们曾经错过了什么？

幕间休息：测试你音乐才能的十个音乐术语

给下面的词选择正确的定义（可以猜）来测试你的音乐知识：

1. 音符

a）留给送奶人的字条。

b）单个音乐符号。

c）一场糟糕的混乱，常出现在一团小提琴琴弦和鞋带中。

2. 和声

a）护发素。

b）两个或多个音符组合形成的乐声。

c）法国吟唱音乐。

3. 和弦

a）音乐家和艺术家风格的一条裤子的布料。

b）两个或者多个音符同时发出，通常和谐组合而成的乐声。

c）一群歌唱家唱的歌。

4. 五线谱

a）写音符的五条横线。

b）公共汽车站外弹奏的街头艺人。

c）指挥对交响乐团成员示意的一根小棍子。

5. 小节线

a）音乐家湿润他们口哨的地方。

b）创作乐曲时，用竖线决定大部分音乐的节拍。

c）指挥对交响乐团成员示意的一根小棍子。

6. 旋律

a）组成美妙旋律的一系列（或一连串）音符。

b）音乐家过去常常对贵族妇女进行的演讲。

c）20世纪70年代的女高音歌手。

7. 音调

a）五线谱最好的助手。

b）使一种乐器发出的音质区别于其他乐器的声音。

c）主旋律的别称。

8. 音高

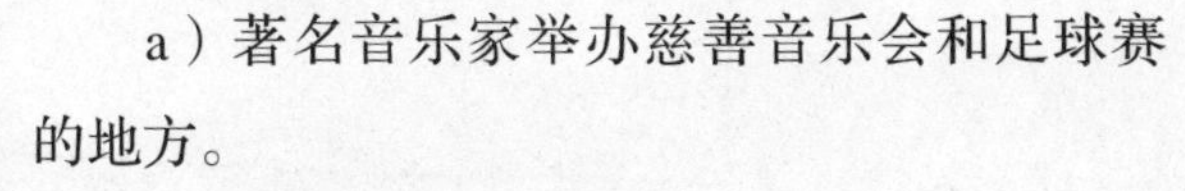

a）著名音乐家举办慈善音乐会和足球赛的地方。

b）核大而多汁的水果。

c）音符的高或低。

d）公共汽车站外的楼梯所在处。

9. 谱号

a）世界上最老的歌手。

b）如果音乐家弹了一个错的音符，他们放弃的东西。

c）位于五线谱开头的记号，定下谱号后面音乐部分的音高。

10. 复调音乐

a）一只鹦鹉的音乐学舌。

b）学会使用电话的鹦鹉。

c）同时使用两组或多组旋律的一种音乐。

1. b；2. b；3. b；4. a；5. b；6. a；7. b；8. c；9. c；10. c。

如果它感动你，就演奏它

莫扎特可以用多种方式在钢琴上演奏他的音乐。莫扎特的手指按动琴键，琴键带动钢琴的“音锤”，音锤拉动琴弦，琴弦使周围空气振动。空气震动引起听众耳膜的共振。听众的大脑把共振转变为“声音”。然后，听众发现声音非常动听……很明显，音乐不过是某种或其他种类的“运动”，音乐家可以选择多种乐器来演奏动听的音乐……特别是他们有大笔金钱可供使用的时候……

由桃花心木做成的、使人神魂颠倒的顶级“斯特拉迪瓦里”小提琴

这是安东尼奥·斯特拉迪瓦里（1644—1737）的杰作，他一生至少制作了1116把乐器，包括540把小提琴，12把中提琴，50把大提琴。

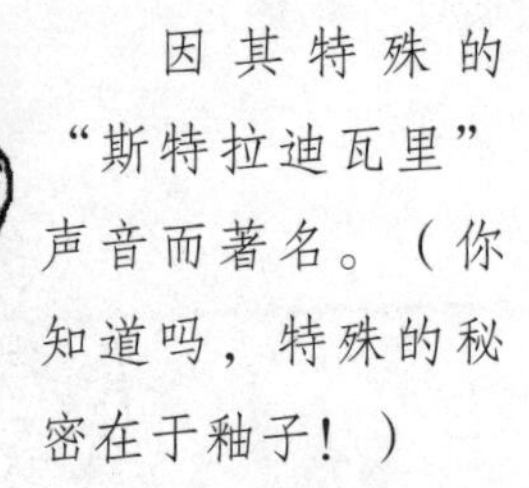

因其特殊的“斯特拉迪瓦里”声音而著名。（你知道吗，特殊的秘密在于釉子！）

最棒的事情是：乐器的历史越悠久，它发出的声音越动听！

如果你有多余的钱，就没有理由不用斯特拉迪瓦里大提琴来演奏作品，在1988年6月22日的索思比拍卖会上，一把大提琴就卖了682 000英镑。

这把出色的斯特拉迪瓦里小提琴，在1990年11月21日的克里斯蒂拍卖会上，以902 000英镑的价钱拍出。

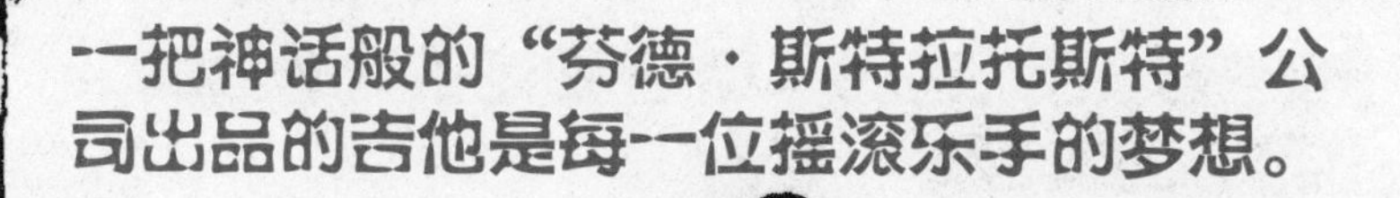

一把神话般的“芬德·斯特拉托斯特”公司出品的吉他是每一位摇滚乐手的梦想。

★ 著名的加利福尼亚州“芬德·斯特拉托斯特”乐器公司出品的。

★ 这是属于吉米·亨德里克斯的吉他，1969年，在伍德斯托克音乐节（每年8月在纽约州东南部伍德斯托克举行的摇滚音乐节）上，吉米·亨德里克斯就是用这把吉他弹奏的。

★ 售价198 000英镑（太贵了！简直是抢劫！）

一架极好的斯坦威（斯坦威父子钢琴公司出品）的大钢琴

极其丰富的音色，充满力量的音调……敏锐的键盘……被全世界顶级音乐会的钢琴家所使用！

这架杰出的钢琴在19世纪90年代，由于劳伦斯·阿尔玛—塔登玛和爱德华·波因特的演奏而增光添彩。

在纽约的*索思比拍卖会上*以163 500英镑拍出。

一架“马克森”管风琴！

✩ 绝对是需要音乐家全力以赴去演奏的那种乐器！

✩ 4个键盘，5600条金属音管，76条音栓（音管的调节装置），是的，所有设备和建筑物都内置有楼梯和走廊。

✩ 这个巨大的管风琴相当于4层楼那么高！

✩ 在曼彻斯特（英国英格兰西北部港口城市）的水桥音乐大厅，听这样一架管风琴演奏，一周就要花费1 200 000英镑。

每个人天赋的“乐器”

面对像“马克森”管风琴这样的“庞然大物”，某些音乐家可能会改变全力以赴去演奏它的初衷，他们更乐意演奏较小型的乐器。如果是这样，他们总是选择大家都适合的经济型管风琴……其中一种被称为喉咙。

喉咙位于头颈的中部。把你的手指放在喉咙里，唱歌。“有事情情情情！”你感觉到振动了吗？振动由“声带”（位于喉咙内的两块肌肉）产生。就像一股气冲出你的肺部（对你而言是气囊！）形成振动，有“尖锐的颤音”或者“低沉的鼻音”。

如果你是一个孩子，你的声带大约8毫米长。妇女的大约11毫米，男人的大约15毫米。

有时，这种神奇、较少受到保养的体内“乐器”——嗓子能使人成为专业音乐家，并得到巨大的财富。

圣弗朗西斯科的歌迷

1882 —美元

对帕蒂（西班牙裔的意大利歌剧女高音，19世纪最著名的花腔女高音）的疯狂崇拜！

某些疯狂的人们荒唐到渴望去听从他人喉部发出的噪音！就在我写下这段话的时候，我看见在著名的圣弗朗西斯科歌剧院（在我住处的前门口）门口，歌迷们排着长队。他们的队伍长达4条街，并且几乎在那里等了一个月……真是音乐界的奇观。队伍中是谁？很好，让我来告诉你，那是一群疯狂的歌剧拥护者，他们正在等着看阿黛莉娜·帕蒂夫人，他们称她为世界上最好的女高音。

阿黛莉娜·帕蒂（1843—1919）的主要情况

▶ 帕蒂很清楚，她的财富是建立在她的喉咙之上，她真的很小心照料它。为了确保喉咙总是在最佳状态，她从来不喝茶、咖啡、红酒和烈酒，从不吃面包、糖果和冰冷食物。

▶ 她的努力获得良好回报。帕蒂的每场演出收入1000英镑（别忘了，那是19世纪。这笔钱足够买一辆劳斯莱斯豪华轿车，剩下的零头还可以买辆山地自行车）。

▶ 帕蒂在盛大的告别音乐会上，佩戴了价值200 000英镑的钻石。显然是考虑到安全问题，她坚持在整场演出中，由两名警装侦探陪伴。

▶ 用演出的收入，帕蒂买了一座有34个卧室的威尔士（英国地名）城堡居住。城堡有一个私人剧场，一个水压操作地板的舞厅和40名仆人来照顾她和她宝贵的喉咙。

1905年，60多岁的帕蒂被说服去灌制她的第一张留声机唱片。当唱片完成后，她生平第一次听到了自己的嗓音……她简直无法相信自己的耳朵！发生了什么事？

a）她痛哭流涕地说：“多么可怕的喧闹声啊……如果我早知道自己的声音如此糟糕，我决不会登台演唱！”

b）她不明白声音是从哪里发出的，因此，她把头伸进扬声器。头被整个卡住了，不得不打电话叫消防队来解救她。

c）她弯下腰亲吻留声机，说：“啊，亲爱的！现在我明白为什么我是帕蒂了。是的！多么美妙的嗓音啊！多么伟大的艺术家啊！”

答案

c）当她拿到唱片后，她立刻成为自己最热情的歌迷——她不够谦虚吗？事实上，她真的对自己的歌声痴迷不已。

实际做一做

如果你以前没有听过自己的嗓音，为什么不用磁带录音机录下自己的歌声呢？大多数现代录音机，内置麦克风和容易操作的录音设备，甚至可能是卡拉OK录音装置。离麦克风适当的距离（30厘米……60厘米……15千米？）对着它唱你最心爱的歌曲。你可能会为自己的嗓音大吃一惊（或者大为惊骇）。如果你的录音机有较好的质量，你将听到的歌声显然正是别人听到的你的声音，而不是你唱歌时自己听到的你的声音。

那会怎样？a）高兴得发抖，还是 b）极为恶心？如果它是：

a）现在，你的录音试验有个令人极为高兴的结果，就像帕蒂，你可以期待将有既漫长又成功的歌唱生涯。

b）喔，亲爱的！你听到的粗暴和令人毛骨悚然的歌声，它具有如此的破坏性，你可能已经发誓要一辈子保持安静，你甚至可能前往当地的修道院。不要绝望，毕竟你还能够成为车站播音员……或者不用你可怕的歌喉去另谋一份好职业。

一半是人——一半是小号？

20世纪30年代，美国乐队“米尔斯兄弟”并不大喊或尖叫，他们有优美的唱腔，凭嗓子来玩一些出色的音乐技巧。由于如此巧妙，以至他们唱片的听众都确定：唱片中伴随他们歌声的有一把小号、一对贝司和大量其他乐器。听众完全被愚弄了——事实上，唱片中唯一的乐器是一把吉他……其他的乐器都是使人难以置信的模仿，那是卓有才华的“米尔斯兄弟”用万能的喉咙变的戏法呀！

击鼓向家中传递消息！

“米尔斯兄弟”用嗓音模仿乐器。其他一些音乐家用乐器模仿嗓音。在尼日利亚（西非），鼓手能够模仿当地约鲁巴语的说话方式，使用“交谈鼓”，给30千米以外的人们传递消息。

以鼓传递消息，是建立在改变节奏和音高的基础上，这在尼日利亚社会已经使用了数百年。当鼓被敲击时，用绳子勒紧或者放松鼓皮，就会产生不同的音高。勒紧鼓皮，声音就会变得高昂。

乐器的名字

尽管频繁地敲打自己的乐器，不过非洲鼓手还是很尊重和敬畏自己的鼓。西部音乐家也很尊敬和热爱自己的乐器——甚至于给乐器取绰号。下面的音乐会评论中包括七个绰号。看看你是否能给每个绰号找到对应的正确的乐器？

孩子，一支乐队有哪些乐器？看图，吹（1）"甘草棍"的这家伙确实热的要奔跑！而女孩把"压扁的盒子"（2）"口琴"紧抓着一刻也不肯放松。弹（3）"斧子"的男人比得上卖肉的剔"骨头"。（4）时用锋利的刀片在肉上自由的割来划去的一首独奏曲。（5）"费德尔"的演奏者与吹（6）"口琴"的女孩合作了一曲二重奏。当然，所有这些乐器的演奏都离不开"圈套"（7）的支持。

选项：a）长号，b）单簧管，c）harmomica（口琴），d）小提琴，e）手风琴，f）鼓，g）吉他。

答案

1. b；2. e；3. g；4. a；5. d；6. c；7. f。

苟延残喘的疾病

尽管音乐家有时候会给自己的乐器取昵称，但他们也经常会发现自己的脖颈……嘴巴……大拇指非常疼痛。长时间的交响乐音乐会演出、加上每天多于4小时的持续练习，这一切导致了各种各样的痛苦，比如：

“小提琴家的脖颈”：在颈部有一块红斑。这是由于小提琴家经常把小提琴压到下巴下面的脖颈上的结果。

“滑奏者的大拇指”：肿胀的大拇指。这是为了弹出一系列快速变化的音符，弹奏者的大拇指频繁地滑过钢琴的琴键或竖琴的琴弦而造成的。

“肺气肿”：肿胀的肺。铜管乐器，比如小号和长号的演奏者不断吹奏，而引起不乐观的肺部情况。

“单簧管演奏者的嘴唇”：肿胀和充血的嘴唇。这是放在演奏者下唇的单簧管口的压力所造成的结果。因此记住，如果你在街上看见伸着下嘴唇的某些人，他们不是在生气……他们是单簧管吹奏者！

读了上面那段话，你可能再也不想当个音乐家了。那么职业橄榄球运动员或者女警察，是否更安全呢？或者你想试试其他种类的乐器？

流行的臀部音乐

注意：

这是个稍微有点粗暴的故事，并不是给警察当局阅读的。

当单簧管音乐家吹了一个错误的音符时，就会认为那是个错音。音乐家不喜欢演奏错音——就是说，除非他们像法国的何塞普·皮若尔（1857—1945年）。他的歌迷认为皮若尔用臀部演奏的音符反而是最好的！

何塞普·皮若尔——背对音乐的人

晚上好，欢迎来到“美妙音乐另类版本”，今晚我们的演播室请来了伟大的法国音乐厅艺术家，皮若尔！

是的，一次巨大的冲击。那时我还只是小孩子，真的非常惊讶！

……我发现我有一个音乐的臀部！

肚子不舒服！

您真是好运！

当然，我知道我将开始自己的音乐，用我自己的方法……

我越努力，我的音乐所获得的支持就越多！

那是真的，各位听众！他的音乐越来越丰富多彩了！不仅能够演奏曲调，还能模仿小提琴、贝司和长号！

那就好像在我的裤子下藏着整个交响乐团！成千上万的听众来观看我的演出。因为我的宏伟演出，我更具知名度了，成为一位著名乐手。我的观众热爱我，尽管他们觉得我的演出不过是难听的“猫头鹰的叫声”！

皮若尔先生有一个非常著名的技巧，是用他的臂部演奏长笛。他用橡皮管把长笛绑在背部，通过二者的摩擦，吹奏出心中的乐曲！现在，他将给我们第一电台独家表演这一技巧。你打算为我们演奏什么，皮若尔先生？

宠物的乐声

在整个人类史上，为了产生伟大的音乐，难以计数的动物极其不情愿地捐赠了它们非常隐私和主要的身体部分。感谢动物们!

被称为“犰狳壳琴”的一种南美弦乐器，一度由犰狳（类似于乌龟形状）的外皮制作而成。现在剥犰狳皮来造犰狳壳琴被明文禁止，因为玻利维亚政府认为这是残酷的和不人道的。如今的犰狳壳琴是由木头制成。因此犰狳非常快乐……虽然偶尔还有一些短视的人们去捕杀犰狳。

日本弦乐的主要乐器是由猫皮做成的“三味线”。一些人觉得这使乐器发出“咕噜咕噜”的音调——其他人可能会觉得乐器声就像一只……被剥皮的猫。

制作你的迪吉里杜管，迪吉里杜管啊！为你寻找一些制作迪吉里杜管的“助手”！

某些动物宁可劳动去制作乐器，也不愿自身被制成乐器。当澳大利亚土著居民想要一根新的迪吉里杜管（长笛乐器）时，他们会砍下桉树的一根长而且笔直的树枝，把它埋在当地的白蚁土墩（白蚁窝）里面。极有爱心又勤勉的白蚁不希望对抗土著，它们立刻忙碌起来，啃掉了树枝的中心。

几个星期以后，迪吉里杜管做好了！每个人都很高兴！白蚁吃到了美味的点心，土著拥有了一根新乐器。现在要做的不过是装饰迪吉里杜管，用它吹奏音乐。

制作迪吉里杜管的物品

你可以制作你自己的迪吉里杜管，用一根中空的纸板管——越长越好——或者是可塑性的铅管（为什么不重复利用家庭真空吸尘器呢？）。

吹奏时，把迪吉里杜管放进你嘴里一半，对着发出“呸”的声音。有时模仿澳大利亚动物真实的声音……蚂蚁的咆哮……白蚁的怒吼……诸如此类……都会给你的迪吉里杜管表演增添多变性和激情。

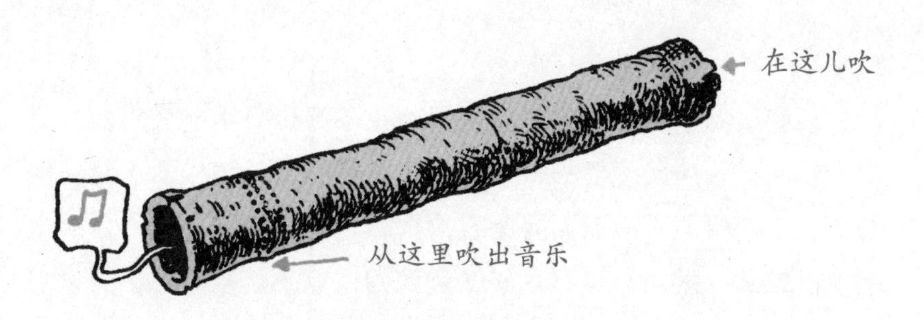

乐器的响声（和其他声音）用分贝测量——声音越响，分贝越高。为了使你了解情况，这儿提出一些我们日常听到的几种声音、某些乐音及它们的分贝测量方法：

 老鼠轻声叫	2分贝
 两只老鼠大声争论	7分贝
 人类的耳语	20分贝
 大象打饱嗝（礼貌的）	40分贝
 两个人的一次交谈	50分贝
 爵士乐手正在吹萨克斯管	70分贝
 一头大象正在玩萨克斯管	0分贝
 摇滚音乐会使人头痛的巨响	150分贝（120分贝被认为是使人痛苦的级数……所以把你的CD唱机音量调低，现在马上！）

吉他怪物

用大功率电吉他弹出高分贝（震耳欲聋）的声音，那个人就是吉米·亨德里克斯。无数人认为吉米是最伟大的摇滚吉他手之一，在许多20世纪90年代乐队的身上，都可以看到吉米那富有想象和饱含激情的演奏痕迹。虽然吉米成名于20世纪60年代后期，但是20世纪50年代他就开始了音乐生涯，比如在小理查德的摇滚乐队里演奏。吉米拒绝穿小理查德要求队员们必须穿的制服，因而被解雇（吉米自己闪光的外套和耀眼的衬衫，使他比任何人都醒目！）。

总的来说，吉米有点叛逆（就像小理查德），有时候他好像非要跟自己过不去。虽然他是左撇子，但坚持用右手弹吉他。为了做到这个，他颠倒着弹吉他。吉米用他长时间的“即兴”独奏曲使歌迷们疯狂，他表演所有使人目眩神迷的技巧——把吉他放在脑后弹奏，用牙齿弹奏。吉米是如此热爱自己的吉他，以至在吉他背后题诗，为了让吉他知道他是多么担心它。

接着，好像为了使吉他确信他是真心真意热爱它们，音乐会上，吉米会摔碎吉他！然后，吉米表示非常抱歉，他通常会试着把破吉他又拼凑复原。

1991年，吉米的一把破吉他（提了一首诗的那把）在零碎拍卖会上，拍出了300 000英镑。

制作你自己的吉他，几秒钟内学会像摇滚巨星一样演奏

首先，一把原声吉他（许多其他的弦乐器也是如此）有非常简易的制作技术要点。

▶ 吉他是一种带弦的发音盒。

▶ 琴身竖绑着粗细不同的尼龙线和金属弦。

▶ 当琴弦被弹来拨去时，就会不断地振动。琴声在中空的琴身上蹦跳，然后穿过音孔，被放大。

▶ 不同粗细的琴弦导致不同种的振动，形成一个个音符。

▶ 细弦发出高音调，如“啊！”

▶ 粗弦发出低音调，如“砰！”

▶ 吉他手可以通过加长或者缩短琴弦，弹出不同的音高。一根手指按住指板（弦乐器颈部上的一条木板）上的琴弦，其他手指拨动琴弦。

▶ 同一时间，两只手做出不同的动作是相当困难的事情——就像一手轻拍脑袋，另一只手搓揉肚子。

做一把连吉米·亨德里克斯都会自豪的吉他，你需要：一把锋利的小刀，一位能帮助你做某些棘手切割的大人，装饰用的带子，一个纸板盒（果汁饮料的包装盒即可），一小张硬板纸，几根粗细不同有弹性的绳子和丰富的想象力（基本的）。

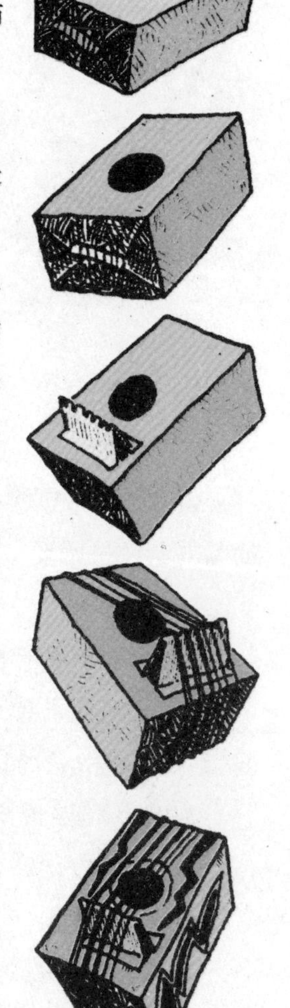

1. 确保盒子上没有洞。如果有，用装饰带覆盖它。

2. 所有的小细缝和小窟窿都补好了吗？好的，现在在盒子上挖个大洞。这个洞将是至关重要的，它是乐声最终穿越的地方。

3. 架一座“桥”。剪下一块硬纸板，在上面划出痕迹。接着把它折成三角形，用带子粘牢。在“桥”上切出六个凹口（一个放一根琴弦）。确保“桥”粘在盒子上了，能使振动传入发声洞。“桥”使琴弦高于琴身。

4. 给吉他的琴身和“桥”，绕上不同种弹性的琴弦，从最细到最粗依次排开。如果你愿意，可以多于或者少于六根琴弦——某些最早的吉他只有一根弦。

5. 你可以装饰你的吉他了——比如在上面题一首诗。这会使它的外观与乐声一样美好。

现在，一切就绪。你可以为自己制作的精妙和完善的音乐硬件而自豪了。想象一下，你拿着这件美丽的小东西，步入温布里剧场（英国伦敦），数以千计的乐迷对你报以极为热烈的掌声。

弹起你心爱的乐器，倾听琴弦发出的不同“音调”。试着一只手拨动琴弦时，另一只手用力按下指板上的琴弦，使它分为几截而变短，注意倾听这带来了音高的变化。

一个适当情形下的处理措施

你的弹力绳吉他是自制的和即兴的，并不是从商店或职业乐器制造者处购得。另一个使用即兴乐器的人是美国爵士乐家乔西·比林斯。乔西竟把行李箱改装成鼓！他给行李箱包上一层褶皱的和棕色的包装纸，用厨房刷敲击，使之发出完美的“克，克，克”的声音。当他想要“砰，砰，咣，咚”之类的声音时，他就用脚给行李箱重重一击。

乔西是被称为“蓝色吹风机”的乐队中的一员。乐队经常在富人举办的晚会上表演。富有的听众觉得乔西的鼓敲得很出色，就向行李鼓上扔5美元的小费，以表示对他技巧的赞赏。他们惊奇地发现，钱立即消失了，真的好像是魔法呢！聪明的乔西灵巧地一拂拿走钱，藏在腋窝下，而他的击鼓表演没有丝毫破绽。

自己动手做一套鼓，并不是古怪的爵士乐手的发明，音乐一出现就有了即兴乐器。

▶ “加勒比海钢铁”乐队的“平底锅”（鼓）是由空油桶制成，油桶被仔细敲成刚好能发出正确音调的形状。

▶ 著名的打击乐器演奏家艾弗琳·葛莱妮，收集了700多件打击乐器，但是她有时还用罐子和平底锅演奏。她为自己创作了一首用厨房器具表演的乐曲。那就是《我梦想的厨房》。

做一做：即兴敲击一套鼓，表演左右两鼓槌交替连续敲击。

你需要的是：当作鼓的旧行李箱和空的容器，比如盒子、酸乳酪和冰激凌罐子；当作鼓槌的木头调羹、铅笔和尺子。

做什么：

1. 做实验来鉴定你的“鼓”能敲击出哪些不同的声音。

2. 挑选两个合适的“鼓”，一个放在你的右手边，另一个放在左手边。

3. 举起“鼓槌”，敲鼓，左，右，左，左，右，左，右，右，左，右，左，左，右，左，右，右……

在打击乐的世界里，有一种被称为“击鼓”（一种有四个基本鼓点且第二个鼓点从左手换到右手的鼓击形式）的技巧。这是鼓手练习时会做的。开始时相当慢，当变得自信时就加快敲击速度。如果你真的很自信，为什么不试试以两倍或者三倍速度“击鼓”，甚至是旋转着往上抛鼓槌，然后接住，而且始终不会敲错一次……

最后一幕

乔西·比林斯能用像行李箱这样简易的材料，创造出强节奏和“踢踏”的乐音，真是让人大吃一惊。你可能不需要花钱去买可以进行成功表演的乐器（或者进行一些娱乐）。乐器最重要的，可能就在于能以这样或那样的形式产生一种真正感动听众的音乐。音乐能让听众流泪、大笑和感动（舞蹈），还能使人们自己想来演奏这些乐器，但是如果不懂音乐的邻居大声弹奏，人们甚至会想搬家（希望不要）。

这韵律源于一些优美而真诚的声音

一个真正恐怖的故事

地 点：塞内加尔（西非）

时 间：18世纪早期

晚上，小村落的居民们都安静下来了。他们欢笑和玩乐，好像觉得人活在世上，没有什么烦恼。但是他们大错特错！

在夜幕的掩护下，一群陌生人包围了村子。突然，陌生人发起了攻击，把村民们残酷地拖出家园。惊恐的村民立刻被绑在一起，因为害怕而发抖。由于反抗袭击者，他们中的一些人被殴打……甚至被杀害……然后村民被迫筋疲力尽地步行几百米，来到海边。在路上，任何步履蹒跚和跟不上队伍的人都会被残忍地鞭打。

当村民到达海边时，他们的衣服被剥去，头发被剃光，并被关进笼子里。一条船到达海岸，船长和他凶暴的手下来到岸上，开始检查无助的村民，好像他们就是市场上的牲口。船长和袭击者的头头签了一份合同，付了钱。村民们已经被卖掉了！接着村民们被赶上船，塞到甲板下面，那里面就像罐头里的沙丁鱼一样拥挤。几乎是让人无法忍受的酷热，恶臭令人作呕——那里已经有几百名其他的囚徒，男人和男孩被链条锁着，在黑暗中迷漫着阴沉和悲伤的气氛。木船的嘎吱声伴随着“起锚”的大喊声。

当村民意识到船正驶离海岸时，使人战栗的恐惧刺进了他们的灵魂。在内心深处他们很清楚：他们再也不能重返家园了——他们的生活也将完全改变了。

对于很多人来说，这是一个悲惨、恐怖却真实的故事。17世

纪到19世纪之间，几百万非洲男人、妇女和儿童就这样被野蛮地俘虏，被成船的运到美洲，作为奴隶，在大规模的棉花和烟草种植园里劳动。

“但是，这和音乐有什么关系？”你可能会问……

好了，这是必需的，因为我们要提及一堆堆使人目眩神迷的乐曲，它们充斥于至少三分之二的大规模音乐商店。不管相信与否，当那些无情的奴隶贩子丧心病狂地运送被俘的非洲人到遥远、贫困而艰难的美洲，他们也意外地对我们今天所听到的大部分流行音乐的发端助了一臂之力。

简单来说，如果没有这一骇人听闻的人口贸易，我们所知道的流行音乐就不会存在！对于发端者而言……不会有：

摇滚，说唱乐，摇滚乐，节奏布鲁斯，山地摇滚，雷吉音乐，拉格，迷幻爵士，传统爵士，现代爵士，丛林爵士，福音音乐，卡利普索，柴迪科，布鲁斯，舞曲，重金属，朋克，嘻蹦乐，高科技舞曲，灵歌。

什么都没有：

没有“绿洲”乐队、“污迹”乐队、迈克尔·杰克逊、麦当娜、蒂娜·特纳、“德·拉·灵魂”乐队、“披头士”、艾尔维斯·普雷斯利、路易斯·阿姆斯特朗……更不用说，在长达80年左右，全世界几亿人所喜爱的几千名其他歌星、乐队和音乐流派。流行乐坛并没有忘记，对吧？这就是所发生的……

只有他们的音乐

当奴隶贩子把他们的俘虏拖到船上的时候，他们当然不会问俘虏们：是否想带一把牙刷或者一套干净的替换内衣！非洲人唯一能带走的东西是装在他们头脑中的，换句话说，是对他们家园、他们家人和他们日常生活的记忆……还有对于全非洲人来说极端重要（今天依然如此）的事物，即他们的音乐！

欢迎来到美洲：一块充满机遇的大陆（好了……无论它是什么！）

奴隶们不是唯一大规模移居美洲的人。17世纪到20世纪，由于各种不同的原因，英国、法国、意大利、西班牙、斯堪的纳维亚地区（北欧地区，包括挪威、瑞典、丹麦、冰岛）、俄国和德国的移民也通过漫长而危险的海路来到“新世界”（欧洲人的称法）。他们也带来了自己的音乐。这些新来者的主要区别在于：非洲人戴着镣铐，欧洲人没有——他们是主动选择来“新世界”的！

音乐烹饪锅

如此多不同背景的人到来的结果之一是：美洲成为一个巨大的音乐烹饪锅（许多地方今天依然还如此）。锅里的泡沫就是那使人兴奋的菜单上的大餐——有音乐滋味和成分。

宏伟的美国音乐大餐

*主要成分：*非洲音乐，包括西非的劳动歌曲，塞内加尔（西非）的舞蹈音乐；约鲁巴部落的圣歌；鼓乐和其他很多、很多的……

*欧洲音乐：*包括英国教堂和民间音乐；西班牙弗拉门戈民歌音乐，欧洲古典音乐，法国和德国的铜管乐队的音乐，加上其他很多、很多……

*准备的方法：*混合，慢慢炖至少200年，有时摇晃。应该是20世纪初在某些地方开始供应。

*服务忠告：*当取样品时，小心，最后时刻，这锅里的许多音乐绝对火烫！能提供足够激动人心的音乐养分（还为未来音乐大餐提出观点），在接下来的至少100年间，它们使世界一半的居民感到满意。

一场非洲美国人音乐的盛宴

20世纪初，不可思议的音乐烹饪锅沸腾溢出——这正是唱片工业起步的时候……真是幸运啊！“嘶嘶”的新乐声使数以百万计的人们着迷，并且在全美国流行开来。这一新鲜和令人兴奋的新音乐，其中大部分是由非洲奴隶后裔创作（有时候他们被称为非洲美国人）。

七种光芒四射的美国黑人音乐引起了轰动，他们使美国振动和摇晃

乡村布鲁斯：哀伤的、富有节奏感的、怀念的歌唱，加以乐器伴奏。歌曲一般有悲伤的主题，歌手创作（即兴的）自己的歌曲，用自己的吉他（有时是口琴）伴奏——他们经常使用“滑奏”的技巧：用瓶颈或刀片上下拨弦。

“水罐”乐队、“斯基夫”乐队和“痉挛”乐队的音乐

部分布鲁斯，部分爵士乐，非常生动，充满乐趣和力量，一点都不陈腐或圆滑。主要是20世纪初到20世纪40年代，比如田纳西州的孟菲斯（美国港口城市）的美国黑人所创作的音乐，用自制的乐器伴奏，例如：a）洗衣板（起初用来搓衣服），乐手用磨损的套环摩擦它。b）旧的石制威士忌酒瓶，乐手吹气穿过瓶口，产生一种低沉、富有节奏的“嗡嗡”声。c）卡祖笛，雪茄形状的金属乐器，发出的声音，和敲击包裹着绵纸的一把梳子所发出的声音是一样的。d）骨头和调羹，能发出“咔嗒”和“哗啦”有节奏的声音。

布基伍基乐曲（用钢琴演奏的爵士乐的一种，其特点是低音部有重复的旋律和节奏，而最高音部则有一系列即兴变奏曲）：重击钢琴或吉他奏出令人兴奋的节奏，起源于非常嘈杂的夜总会。钢琴手用左手重击重复的乐曲，右手演出更为精妙和复杂的曲调。布吉舞曲发展出强劲和富有力量的风格，由于在那种非常嘈杂的地方弹奏，又没有麦克风和扬声器，只有那样做，钢琴手才能听见自己弹奏的音乐。有时候，钢琴手在钢琴音锤上加置大头针，琴弦后面放上报纸，这使得琴声更嘹亮。

爵士乐：1865年，美国国内战争结束后，奴隶制被全部废除。许多解放的奴隶离开棉花种植园，搬到乡镇和城市居住，从

而听到更多“正式”的音乐，比如铜管乐、军乐和欧洲古典音乐。他们把这些音乐和非洲人的节奏、乡村布鲁斯音乐相融合，并使用不同的乐器演奏，比如单簧管、长号和小号（通常被国内战争军乐队废弃）。爵士乐于是出现了，并且一变再变，此后就有了诸如摇摆乐、比包普、自由爵士乐、芬克爵士、迷幻摇滚。一些甚至传回非洲，从而又影响了某些非洲音乐类型。

爵士乐小号手路易斯·阿姆斯特朗（1900—1971年）说：换句话说，音乐用本身说话（绝大部分音乐确实如此！）。

福音音乐：美国黑人的宗教音乐。奴隶们被“鼓励”放弃非洲宗教，到基督教教堂去并唱赞美诗。但是他们歌唱欧洲的赞美诗，增加了独特的非洲音乐风格。一种摇摆和极度兴奋的新音乐普遍发展起来，在20世纪20年代得到命名。20世纪50年代后期，一些歌手演唱非宗教版的福音歌——这就是著名的“灵歌”。

喔，我们被作为奴隶出售作为奴隶出售），我们失去了自己天赋——天赋的家园（天赋的家园），喔，感谢您感谢您感谢您。

城市布鲁斯：部分乡村布鲁斯音乐家搬到像芝加哥这样的大城市，开始使用电子的和放大音量的乐器。他们的音乐更刺耳，更急迫，许多美国和英国的20世纪60年代、70年代和80年代的摇滚乐和流行乐队都模仿这种声音。

节奏布鲁斯：20世纪40年代出现的，城市布鲁斯和爵士乐的混合体。通常由萨克斯管和电吉他伴奏。有时候，歌声听起来是狂野和失去控制的（其实不是！），偶尔是在大喊大叫而不是唱出歌词——人们却很高兴听到这样的音乐。节奏布鲁斯的无数通俗版本以摇滚乐闻名，这永远改变了通俗音乐。

流行音乐的祖父！

音乐烹饪锅中最寒冷的美国黑人音乐之一是布鲁斯。现在，你已经读过了一点关于美国黑人音乐的早期种类，你可能会明白，为什么如此多的音乐专家把布鲁斯作为数不胜数的现代流行音乐的开端，比如说唱、嘻蹦乐、摇滚、灵歌、泰姆拉——摩城（摩城音乐）“嘟——喔普”（一种节奏布鲁斯的演唱法）、节奏布鲁斯以及摇滚乐。成长于布鲁斯的这些不可思议的流行音乐，给数以百万计的人们以巨大的快乐，但是这流行乐的祖父（或者祖母？）却产生在没有人觉得快乐的环境下。

我爱布鲁斯，他们有如此美妙的伤痛。

布鲁斯那心碎而艰难的出生：关键点

没有人能准确地弄清楚布鲁斯究竟是如何产生的，但是人们一般认为它是这样出现的……

▶ 当美国的非洲奴隶进行一小时接着一小时的艰苦工作时，他们唱自己传统的歌谣，为了使精神保持振奋。

▶ 岁月流逝，非洲人开始听到其他类型的音乐……并且学习他们主人的语言（通常是英语）。

▶ 美国黑人后裔出生在种植园，对于许多人而言，非洲传统音乐最终成为遥远的记忆。他们演奏和歌唱的音乐是从纯粹非洲音乐逐步演变而成的一种新音乐——部分像欧洲和部分像非洲。

▶ 奴隶们自由以后的很久一段时间里，音乐持续成长和发展。最终，以布鲁斯而闻名（虽然没有人真的清楚为什么如此命名）。

▶ 即使在1865年以后，美国黑人不再被迫像奴隶一样工作，可是大多数人还是经历了一段极其艰苦的时期。许多白人并不把他们看做是人（特别在美国的南部），黑人不得不忍受糟糕的生活和工作条件。他们常常由于晚上11点以后还在街上溜达这样微不足道的事情，被殴打和关进监狱！不用惊讶，布鲁斯就是在这样非常严酷的环境中诞生和成长起来的，为生活非常艰辛的人们演奏……就像詹姆士·贝克。

面对詹姆士·贝克！——你就看到了橡树！

詹姆士·贝克不是唯一有绰号的布鲁斯音乐家。过去为数众多的吉他大家和布吉舞奇才都有绰号。例如母牛科维·达文波特、松树托普·史密斯、装腔作势的比·斯立姆、烤肉架鲍勃和熨斗博德·山姆。

今天我将是谁？

布鲁斯歌手和吉他手布林德·威利·麦克汤（1898—1959），并不满足于只有一个绰号——他有7个绰号！他也被叫作：皮尼·威士汤，奥特·绍塔·威利，布林德·萨美，雷特·奥特·威利，乔治亚·比尔，佩格和威士汤·雷特以及巴雷尔豪斯·萨米。如果向别人介绍他，肯定会遇见问题，不知该称为皮尼·威士汤、奥特·绍塔·威利还是布林德·萨美？在音乐俱乐部，他弹奏他那像钟一样鸣叫的12根弦的吉他，唱有关失恋和不幸的歌曲。这也肯定把收集他唱片的歌迷弄糊涂了。

做一做：组成你自己的水罐乐队，演奏某些原始爵士乐——一种早期的爵士乐，节奏强劲，表演喧闹，与酒店爵士乐类似。

你需要的是：

▶ 各种大小不一的塑料柠檬汽水瓶——那将是你的“水罐”（一支真的水罐乐队使用空的威士忌酒瓶，但不是一定需要如此！）较大瓶子发出较低的音调（低音的），较小瓶子发出较高的音调。“水罐”最好是空的，但是如果里面还有一点水的话，瓶子仍然可以演奏（这使你旋转瓶子时它不会摇晃？）。

▶ 一个柳条编的废纸篓。这就是你的“洗衣板”——除非你家里还在使用真正的洗衣板……那么，借它！（然后告诉家人那个被称为“洗衣机”的杰出发明！）

▶ 一些顶针（缝纫用的）。手指套上顶针和废纸篓刮擦，产生基本的锉磨和有节奏的“咔咔——嗒嗒”洗衣板声音。如果你找不到顶针，可以用较硬的东西，比如一把钥匙或者一支铅笔来代替，你就能得到真正美妙的“柳条制的”乐音。

▶ 两块被啃得很干净的骨头，或者调羹——如果狗还没有啃完骨头的话。一只手握着背靠背的两把调羹，像这样：现在，让调羹噼里啪啦地敲击，接着在膝盖处敲一次，然后在另一只手的手掌里敲一次。重复这些动作，直到你发出有节奏的“咔嗒咔嗒”和“哗啦哗啦”声。

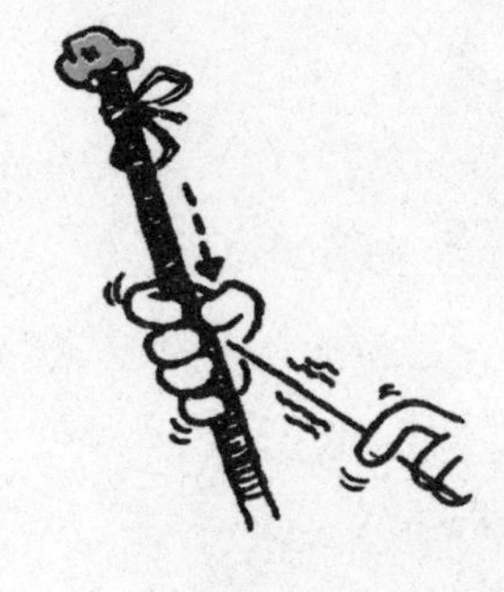

▶ 一米长的木钉，或者其他类型的棍棒（比如旧扫帚柄），大约一米长的线，一个大纸板盒。

1. 把木钉牢牢地卡在盒子的一角，并且穿过一个盒棱（盒棱应该是被折叠过的）。

2. 在纸盒顶部与木钉斜对的角上穿个窟窿，线的一端系在窟窿里，另一端系在木钉的顶部。

3. 在线的末端打个大结确保它不会位移。这就是你的“线贝司”。你能弹出“砰”和“咚”这样的声音。演奏时，通过在线上或长或短的滑动，你就能改变音高。

4. 重要的安全注意事项：在木钉的顶部放一块酒瓶的软木塞或者塑料块，来保护眼睛以免被戳到。

5. 一些绵纸和一把梳子。梳子外包上绵纸，轻滑它，会产生真正的卡祖笛乐声（那将会使你想到醉酒的黄蜂群）。

乐队集中到合适的地点，例如花园小屋和废弃了的夜总会（或者你看6点钟新闻时的客厅）。这将是你活动关节的好地方。你的任务是……一起去蹦跳！但是那么做之前，你必须好好训练。

每一位音乐家都必须无数次地用乐器练习，直到乐器几乎是他们身体的一部分……他们灵魂的延续？！（嗯！）是啊，然后直到他们能用它发出“噪声”！爵士乐音乐家过去常常称他们漫长和孤独的练习为“收集柴火”——住美国有一段时间，你不可能经过一座柴房，而没有听见孤独的爵士乐音乐家弹奏出的，宛如猫头鹰和大雁叫声的“噪声”——悲叹他们所有的不幸……他们就是钢琴家！

为了加深认识和踩下开始的“引擎”，你们可以尝试和某些布鲁斯唱片一起演奏（当地的图书馆会有一些CD和磁带）。然后，当大家都相当熟悉自己的乐器，对布鲁斯有一定的“感觉”时，聚集在一起，演奏某些不同的音乐。一旦你学会和别人一起表演，你就可以歌唱了！

布鲁斯歌手为了发泄自己强烈的情绪，在歌唱时，会呻吟、咕哝、低吟、号叫，甚至是大吼。如果你想听真正一流的呻吟和哀号，豪林·沃尔夫（1910—1976）的《闪光的大烟囱》是不错的选择，听后，所有的人都会随之呻吟。

下一步——创作布鲁斯

布鲁斯音乐家桑·豪斯（1902—1988）说："……我们的创作，是讲述发生在我们自己身上的事，我以为这就是布鲁斯的开始。"布鲁斯音乐家歌唱他们最好骡子的死亡，洪水冲走了棉花作物以及他们的情人和他们最好的朋友私奔。如果你们当地的棉花田最近改建成了6英亩的中心花园，那就不会有骡子最近死亡的事情，你将不得不创作关于其他事情的布鲁斯。也许是关于你不幸的人生，必须去那个残酷和无情的地方——学校，被攥在铁石心肠和粗暴的奴隶工头——老师的手心里……也许是这样一些事情……

布鲁斯拼写测试

今天早晨醒来，我想起了今天的布鲁斯拼写测试，但我没有完成家庭作业，我知道我肯定会不及格的！！

哦，哦，嗯！哦，哦，嗯？他最好的朋友叫巴里，他却刚好不在他的座位上，他却刚好不在他的座位上！
喔，他该怎么办？他该怎么办？
巴里得了流感，我却要做“布鲁斯拼写测试”！
喔，我该怎么办？我该怎么办？
巴里得了流感，他却要做布鲁斯拼写测试！

领唱唱歌曲的主要部分，其他每个人一边齐声重复，一边在后面刮擦、拨动和踩跺。这种唱歌的方式被称作“应答”式。这种“应答”式的歌唱是奴隶和劳改农场的囚犯在田地里，辛苦劳作时经常会做的。在最凄苦的时候，能给他们彼此在一起的感觉，可能还是一种传递信息的方法。在监狱农场，300多名囚犯锁在一起，以这样的模式唱歌——据报道，那是真正壮观的景象和歌声！

最后一点——你的音乐是否恰到好处？

如果发现狗开始随着音乐轻拍爪子和摇动尾巴，你就明白自己创造出了多么动人的音乐。著名的爵士乐小号手迈尔斯·戴维斯（1926—1991）曾经说过：

如果一个家伙让你的脚轻打节拍，使你的背向后仰，你就不必问任何人那是不是好音乐。你总是能感觉到的。

新奥尔良：音乐……音乐……音乐——从摇篮到坟墓！

当布鲁斯在美国乡村勃兴时，另一种音乐在乡镇和城市获得发展，特别是在新奥尔良（美国城市）这个大海港。这种音乐被称为爵士乐，20世纪的前期在新奥尔良非常盛行。

如果你用“时间旅行”的方式回到过去的新奥尔良，你的耳朵就会享受到一顿音乐大餐！无论何处都传来音乐声——不是CD唱机或者广播！而是布鲁斯音乐家的嘴和吉他，爵士乐的小号手和长号手有巴迪·博尔登（1877—1931）和基德·奥赖（1886—1973）等人，钢琴爵士乐队有杰利·罗尔·默顿（1890—1941）等等。一般称杰利为爵士乐的发明者——然后被人数众多的音乐家们模仿。爵士乐不是被发明的……它是自然发展而成的。是人们日常生活的一部分。

新奥尔良一天24小时都有音乐伴随，你能免费听到很多！从摇篮到坟墓，每个人，分分秒秒都有音乐陪伴。在洗礼仪式，郊外野餐和密西西比河（美国，世界上最大的河流之一）的汽船上，在车间、饭店和酒吧，在宴会和婚礼、舞会和街道游行中，音乐被演奏。最后，当有人去世时，人们用踢踏、摇摆和跳跃的音乐送死者上路。新奥尔良的葬礼真的很特殊！

难道他不是在闲逛……不是在赌博吗?

在新奥尔良的美国黑人葬礼是极其壮观的。情况如下：

1. 当哀悼者准备跟随棺材到墓地时，有多于5支的爵士乐队聚拢过来。巨大的低音鼓的边侧和领队色彩鲜艳的肩带上都标有乐队的名字。参加葬礼的许多人带了被合拢的伞。葬礼开始，棺材抬出，放在马拉的柩车上，大家走向墓地（被称作“骨头园”）。

2. 队伍真的是缓慢而悲伤的，诸如“尤里卡”和“向上”爵士乐队吹奏阴沉和庄严的乐曲，每个人都显得那么伤心。就像你所预料的，人们在向死者表示最后的敬意。

3. 队伍最终到达墓地，下葬仪式举行，乐队在大门外等候。一旦棺材埋入坟墓，最后一句祷告词离开嘴唇，哀悼者离开墓地……每个人就变得绝对疯狂！

4. 爵士乐队开始演奏他们最喧闹和最时髦的乐曲，被撑开的雨伞都涂满了鲜艳和华丽的色彩，哀悼者立刻随着音乐挥手和旋转，摇晃而昂首阔步地穿过新奥尔良的街道。当乐队吹奏着欢快的乐曲时，每个人都又唱又跳，那是为了赞美死者的一生。比如“喔！他难道没有闲逛……没有赌博吗……直到上帝带走了他！”也就是“他真的有点放荡不羁，不是吗？”看热闹的，特别是小孩子，就会加入庆典。其中一部分人甚至吹奏自己的乐器——这一风俗被称为“第二行列”。众多20世纪的伟大新奥尔良爵士乐音乐家，孩提时代都在“第二行列”里吹奏过。

为什么会这样?

葬礼上不同寻常的行动，可能与哀悼者和音乐家的非洲血缘有关。在今天的西非某些国家，葬礼仍然以相似的形式举行。

最后的评述

如果你给巴迪·博尔登和杰利·罗尔·默顿放一张现代爵士乐的唱片，再告诉他们这是爵士乐，他们也许会完全糊涂了，说：

从新奥尔良的早期岁月开始，爵士乐就一次次地演变……在伟大的美洲音乐烹饪锅里，爵士乐是最先流行的美国黑人音乐，它的其他初期形式在新奥尔良都已经具备。这些形式不断发展，诞生了众多今天如此流行的音乐，比如摇滚、灵歌、流行歌曲、嘻蹦乐和说唱。换句话说，从21世纪初开始，各种音乐风格的融合就没有停止过——它还在继续。今天仍然在继续……不仅在美国，而且在全世界。多亏了现代技术，音乐风格的融合比过去容易多了。

无休止的流行音乐

一场长期的流行和摇滚的盛会

自从20世纪50年代，猫王艾尔维斯·普雷斯利和小理查德让数以千计的青少年旋转和摇摆以后，人们再没有停止过去参与“流行”。在最近的40年左右，许多的流行浪潮来来往往，几千首歌曲在排行榜上上下下。追溯它们的过程，足以写成像巨型市场一样庞大的书和舞厅地板一样宽广的排行榜。因此，关于35年来激动人心的流行音乐，在使人目眩的叙述中，如果你还没有找到心爱的艺术家，请不要大发雷霆。

第一部分：摇摆的60年代

20世纪60年代的早期，每个人都变成了流行音乐的疯子。据报道，那时期，光是英国就有10 000个流行乐团体，它们都想登上排行榜第一名的宝座！很显然，不可能所有人都成功，但是至少是数量惊人的——像“滚石”乐队、“奇想”乐队和“谁人”乐队——都引起了巨大的轰动！这些情况使人们震惊。流行音乐突然变得如此重要，以至成人世界决定重组自身，来容纳这一新的音乐现象。情况如下：

▶ 新“海盗”电台开始对狂热着迷于音乐的青少年，广播无休止的流行音乐。这并不是由真正的海盗来运行，而是由电台DJ来做。

▶ 杂志创刊，这样歌迷们可以几小时地盯着明星照片，阅读令人着迷的文章——明星鞋子的型号、喜欢的早餐主食和练习过程中微不足道的趣事。

▶ 青少年服装的“流行”时尚是巨大的产业。伦敦成为世界时尚之都。

▶ 新的大规模唱片市场，开始开放式的出售音乐——每个人都可以随意听唱片，直到今天我们周围仍有很多这样的市场。

▶ 每星期，新的TV节目不断推出，介绍像蘑菇一样迅速生长的新乐团。

▶ 即使是BBC电台，最终也开始倡导新音乐。他们关闭了海盗电台，建立自己的流行音乐渠道——“第一电台”。

从那时起，青少年不再工作，而是享受他们的空闲时间（就像50年代早期），“流行”成为生活方式的全部。人们听流行音乐，穿流行服装和接受流行的观点。

“披头士”——引起流行的四只“甲虫”

1963年是英国的“披头士年”。如果你是那个时期的青少年，但是从未听说过“披头士”，那可能是因为你：a）藏在很厚的巴拉克拉法头盔（仅留脸部而把头、耳、颈部盖住的羊毛头罩）里。b）是一只克里夫·理查德的仓鼠。c）参加失踪了的国际侦察和亚马孙河（南美洲大河）雨林的精灵狂欢会（或者以上三个都是）。

“披头士”大事记——难以置信的4人如何找到歌迷、名声和财富

▶ 1957年的利物浦（英国英格兰西部港口城市）：约翰·列农（1940—1980）遇见15岁的保罗·麦卡尼（出生于1942年），并邀请他加入自己的“斯基夫摇滚乐队”（有点像83页介绍的“水罐”乐队）。乐队更名为“采石工”，这个名字取自列农的老学校，“采石河岸文法学校”。

▶ 乐队更改了名字，成员（和他们的内衣）在接下来的几年一起度过了相当长的时间。

▶ 利物浦是能听到各种音乐的好地方，因为水手们带回大量不能在英国商店买到的、录有激情歌曲的美国唱片。所以，这支乐队的音乐偶像是像猫王艾尔维斯·普雷斯利和查克·贝瑞这样的摇滚乐手，以及像莱特宁·霍普金斯和马蒂·沃特斯这样的布鲁斯音乐家。

▶ 1962年：他们开始自称为“披头士（甲壳虫）”——灵感来自于巴迪·霍利的老乐队“蟋蟀”。他们决定和大唱片公司联系，以新队名发行第一张唱片。但是，伦敦的听众并不热情……

布赖恩·爱泼斯坦成为他们的经纪人。帕洛电话唱片公司和他们签订了第一张唱片合同。第一首单曲是《爱我吧》，1962年10月发行。乐队包括约翰·列农、保罗·麦卡尼、乔治·哈里森（出生于1943年）和林戈·斯塔尔（出生于1940年）。

1963年：第二首单曲《愉悦我》迅速上升为排行榜第一……下

一首还是……再下一首还是！其他的利物浦乐队也成了天皇巨星，以“默西之声”（指20世纪60年代英国利物浦市“披头士”）而闻名的一种新音乐出现了。“披头士狂”在英国开始蔓延。

如何认出“披头士狂”

▶ 当接近“披头士”时，倾向于尖叫、大喊、晕倒和骚乱。

▶ 通常每次都有一大群人冲过去包围“披头士”，“聚众暴乱”（或者偶尔看见像“披头士”的任何人都会这样做）。

▶ 频繁地在音乐会上用豆形软糖轰击乐队，或者邮寄给乐队（在1963年，歌迷一星期就寄了50千克的豆形软糖）。

▶ 消防队员的高压水枪都不能冲垮他们。跟维持秩序的警察

搏斗，对他们来说是小菜一碟。

粘满剪报的册子，各种“披头士”的纪念品，包括签名照片，豆形软糖（据说一位“披头士”成员曾经吸吮过的！），“披头士”的烟头之一，从一位“披头士”成员花园篱笆上剪下的一小段，短袜（乔治·哈里森的）和早餐的一片面包（乔治·哈里森的）……

▶ 较年长的“披头士狂”根本不在乎花大笔钱来购买“披头士”纪念品，例如，花27 000英镑买约翰·列农的旧皮夹克！

▶ 1964年：“披头士”来到美国，在美国电视台演出，7300万观众观看了演出！在广播时代，美国的任何地方，没有一例青少年犯罪发生！但是“披头士”使世界为之疯狂。

▶ 1966年：乐队放弃了现场演出，因为在音乐会上，观众是如此吵闹，以致队员听不见自己弹奏的乐声。

▶ 1967年：“披头士”花了6个月时间录制了40分钟的密纹唱片《佩伯军士孤独之心俱乐部乐队》。许多人觉得这是他们的巅峰之作。

▶ 1970年：保罗离开了乐队。“披头士”的其余成员决定解散乐队（那是完美的时代……这是“披头士”的终结，也是60年代摇滚乐的终结！）。

关于那难以置信的4人的最后4件使人惊愕不已的事情

▶ “披头士”比世界上曾经存在过的任何乐队卖出的唱片都多！……据他们的唱片公司（百代）估计：全球有10亿张“披头士”的唱片和磁带在流传。

▶ 在1963年12月14日，“披头士”有6张唱片同时荣登英国排行榜前20名！……其中包括LP和EP这两种形式的密纹唱片，就像单曲《她爱你》（排行榜第一）和《我想牵着你的手》（排行榜第二）。

▶ 1964年，20张美国最畅销唱片的前五名，都是“披头士”的单曲。

▶ “披头士”的《昨天》首先是出现在1965年的密纹唱片（长时间演唱的唱片）《救命》中。到1967年，共有446位歌手和乐队（除“披头士”外）录制了他们自己的《昨天》歌曲。

此后，他们都成为嬉皮士了吗？

“披头士”和众多20世纪60年代的、其他“流行”和民间艺术家常常歌唱，努力想把世界变得更美好。《你所需要的一切是爱》（“披头士”，1967）和《正在改变的时代》（鲍勃·迪伦，1964）等对青少年的影响都极其巨大。结果，年轻人不再以摇滚乐来反抗年老和令人厌烦的父母（就像50年代的青年所做的），他们用音乐抗议成人世界进行的一切争论和战争（特别是美国越战）。

他们对大人们说：“我们不想长成像你们大多数人一样乖戾、好斗和卑劣的草包！”“世界上有太多的争吵。让我们多一点和平和关爱。像孩子似的在头上戴着鲜花，来到美妙的音乐中，此后，过嬉皮士的生活……就是这样！”

数以千计的青年聚集到公园和田野，用不同寻常的方式给予彼此快乐，他们听各位明星的歌曲，比如，鲍勃·迪伦、吉米·亨德里克斯“爱”乐队和“滚石”乐队，在蒙特里（美国，1967），伍德斯托克（美国，1969），海德公园（英国，1969），怀特岛（英国，1969，1979）。

这些活动被称作“嬉皮士狂欢集会”。在1967年，他们举行了难以胜数的称为“爱的夏天”的狂欢会。20世纪60年代的许多青少年和流行音乐明星，真诚地尝试用音乐使世界变得更美好。不幸的是，10年过去了，一个或者两个巨星开始遗忘他们的初衷——用音乐改善社会，而是对其他事情更有兴趣，比如赚很多钱、增强知名度……

20世纪70年代——迷人光芒后的一场“朋克”灾难

在20世纪70年代到来之际，“披头士”解散了，无休止的流行音乐盛会却正在强有力地向前推进。流行明星们获得巨大成功，他们中许多人的穿着和行为，就永远像在参加一场晚会——奇装异服晚会！他们的舞台演出和服装，是如此的奢华和炫目，歌迷们参加流行音乐会，很可能会以为他们错到了当地的杂要场。不过这是极不可理解的，毕竟“谁人”乐队的皮特·汤森曾经说过：“流行音乐最终成为一场展览和一个杂要场……”这一“过度的流行”就是“迷人摇滚”。

群星闪烁迷人的摇滚乐手

“恐龙王”乐队（马克·波伦）：是20世纪60年代的一支电子乐队，但是在分期付款购买公司收回他们的乐器以后，他们不得不回到原声音乐上来（非电子音乐，俗称“不插电”）。他们唱嬉皮士风格的歌曲（关于爱恶作剧的孩子、小精灵和相关的事情），如标题为《人们都很平等地拥有头顶的天空但现在他们满含泪水》。后来，波伦转向“华丽摇滚”，得到赞助和电吉他（这时一切都得到了回报），《热爱》和《与之继续》（1971）都轰动一时。波伦在1977年死于车祸。

戴维·鲍伊（出生于1947年）：20世纪60年代后期，戴维演奏主张和平与爱情的、嬉皮士风格的音乐（就像波伦）。他出版了《齐基·斯塔达斯特的沉浮和来自火星的蜘蛛人》（1972），并作为一个华丽摇滚乐手以“齐基·斯塔达斯特”的艺名演出（他被认为是摇滚乐明星的异类！）。他穿着连身衣和平底靴，一头红发，脾气暴躁。他的华丽摇滚时期的另一张密纹唱片，是《匈牙利平底船》（1971），以单曲《转变》为标志。现在，它被认为是“经典”唱片，换句话说，多年以后再来听《转变》，依然如此震撼人心。

约翰·列农评价戴维的音乐，说：“那是伟大的……但是就像擦满口红的摇滚乐。”

“斯莱德”乐队：一开始以剃着小平头的（注释：英国工人阶级）形象出现，后来成为迷人的摇滚乐手。他们的音乐高亢而不断重复，听起来很像足球迷的呐喊声。某些人觉得他们的全部歌曲听起来都差不多，但是青少年很喜欢。他们的歌名经常拼写错误，一位英国下议院议员是如此担心，以致他在国会上提到：这将会给青年人的拼写能力带来坏影响。

十个简单交错的步骤变得富有魅力……

……“迷人摇滚”明星加里·格利特的秘密（所有想成为迷人摇滚乐手者的榜样）。

1. 某些“平底靴”的鞋底和鞋跟是如此难以置信的高耸，以致每次穿上它们，就有晕眩的魔力。

2. 给你的“平底靴”配上闪光的裤子和衬衫，衬衫装饰着足以让一艘演艺船（一种河中行驶的汽船，一伙演员在水上进行演出的船上剧场）下沉的圆形闪光金属片和亮晶晶的小东西。

或者穿一件完全由银纸（像格利特）制成的外衣，但是这样很可能会被认作是“闪光金属片孩子”（像格利特）。

3. 给你的衬衫塞入小沙发大小的衬垫。

4. 在你的额头前梳出一绺“柔软和蓬松”的头发，它是如此的庞大和危险，以致怕被砸到的小孩和狗会逃到碗柜里藏起来。

5. 化浓妆（特别是戴维·鲍伊和波伦）。

6. 取一个和你的新形象相匹配的新名字。鲍伊在最终叫鲍伊之前，试过用特里·廷斯利和斯坦利·斯帕克莱这样的名字。

7. 录制一张唱片，使用许多响亮的鼓和贝司，拥有迷人的旋律，以及立刻就能记住的歌词以及与演唱相伴随的狂喜。

8. 一连11次挤进排行榜（像格利特）。

9. 销售百万张唱片（像格利特的《我爱你爱我的爱》）。

10. 过极度奢华的生活……也许是一栋乡间别墅，有一个室外全天候的温水游泳池，床边的自动香槟酒分配机和价值6000英镑的遥控“机动化”窗帘（像格利特）。这种奢华和自我放纵的生活方式可能最终使你破产（像格利特）。

所以，小心你的钱袋……提防那些“朋克”。

刺耳的音乐

20世纪70年代中期，人们对“迷人摇滚”厌倦了。它们不再有新鲜、激动人心和刚出现时的独创性，但是报酬丰厚的“迷人明星”，好像对他们创作的相当陈旧和无聊的音乐，仍然洋洋自得和自我感觉良好。另外，英国青少年的失业率增高，许多年轻人普遍对世界感到厌倦。新音乐革新“朋克摇滚”水到渠成，浮出水面……愤怒、反社会，诅咒一切和暴力，比如“性手枪”这样的“要么是全部，要么什么都不要”的乐团。

关于“朋克摇滚”和“性手枪”的十件你肯定不知道的事情

1. “朋克”起步于纽约，那里有像帕蒂·史密斯、“雷蒙斯”乐队和“纽约娃娃”乐队。音乐是“快节奏和极为激烈”的，充斥着情感、激情和狂暴，有时不是在歌唱而是在大喊大叫。

2. “朋克”就像是这样……

3. 发现约翰尼·罗顿（真名是约翰·里顿）的“纽约娃娃”乐队的经纪人马尔科姆·麦克拉朗，在伦敦拥有一家商店。麦克拉朗让罗顿随着店中自动点唱机中的唱片唱歌，结果他很满意，于是把他和他的同伴吸收入朋克乐队，这就是“性手枪”朋克乐队。

4. 1976年，一位叫比尔·格伦迪的电视主持人，邀请“性手枪”上他的节目。他没有考虑很多，并且诱导队员来点“粗的”——他们也这么做了。但是格伦迪有麻烦了。第二天这件事就被捅上报纸的头条……格伦迪被解雇！

5. “性手枪”和百代唱片公司签了一份价值40 000英镑的合同，这件事发生几个星期以后，他们被解雇，但是他们仍可以拿到这笔钱。

6. 接下来他们和A＆M唱片公司签订新合约，录制白金汉宫庆典的唱片，只有一个星期，他们又被解雇了！这一次他们拿到合约一半的钱（或许他们应该被叫作“解雇手枪”？）。

7. 几个月以后，“性手枪”和维真唱片公司签约。问题又来了——这一次是他们的单曲《上帝拯救女王》制作工厂的工人拒绝制作这一唱片，还威胁继续罢工，因为单曲封面有女王伊丽莎白二世的肖像，鼻子上别着安全别针（很明显，女王只会在自己家中秘密地做这类事情）。

8. 好不容易罢工平息，唱片终于发行了（那正是女王加冕25周年，1977）。许多商店抵制它，BBC禁止电视和电台播放（但是这并不能阻止“爱丁堡鸭子”乐队在自己的唱片中秘密地模仿它）。

9. 乐队失去了格伦·马特洛克——他们的贝司手，“因为他演奏得太好了”（他们自己说的！）。他的继任者是席德·威舍斯，他明显缺乏音乐才能（或者可以说是完全不存在）。

10. 几乎在英国每个地方，“性手枪”都被禁演，因此他们用假名“Spots”巡回演出（“性手枪”在旅行）。

“堕落”乐队（一支曼彻斯特的摇滚乐队）的马克·E.史密斯说过：“摇滚乐甚至不是音乐。它是为了得到感觉而虐待乐器！”

如果你想在流行乐坛闯出名号……首先得给自己取个艺名！

加里·格利特和约翰尼·罗顿，不是唯一给自己取个新名字的流行音乐明星。众多音乐家轻易的忘记了真名，给自己取了一个新名字，比如……斯拉、伊吉、施廷、博诺和多齐！取一个新名字，这确实像是为自己创造一个彻底酷帅的流行音乐新形象的一部分。

▶ 朴素的英语老教师戈登·萨姆纳先生（出生于1951年），名字听起来不像是个将会掀起世界流行音乐狂潮的人，不是吗？不过他改名为“螫”，听起来就像是被蜜蜂蛰伤了膝盖。

▶ 如果你打算举行一次破纪录的音乐大巡回演出，你最不应该叫的名字就是雷哲·德维特！如果有那样一个名字，人们可能会叫你维修中央加热器，或者向你买一公斤新鲜的鱼，而不会让你用美妙的歌声和钢琴演奏来使他们着迷。如果叫埃尔顿·约翰（出生于1947年）会好得多。

▶ 如果你想唱片大卖，你绝对有理由抛弃像约尔戈斯·基里田科乌·帕纳约蒂这样的名字。这名字发音时，难道不会使舌头卷不过来吗？

你会很惊讶，如此数不清的知名音乐家使用艺名。看看你能识辨多少：

1.戴维·琼斯，2.麦当娜·西寇尼，3.范尼·梅·布洛克，4.马尔维尼·李·阿达伊，5.威廉·珀克斯，6.哈丽·韦布，7.德克兰·麦克梅纽斯，8.埃里克·P.克拉普，9.F·布尔萨拉。

a）克里夫·理查德，b）艾维斯·卡斯特罗，c）“肉块先生”，d）比尔·怀曼（“滚石”乐队），e）马东纳，f）埃里克·克拉普顿，g）蒂尼（“皇后”乐队），I）戴维·鲍伊。

答案

1. i；2. e；3. h；4. c；5. d；6. a；7. b；8. f；9. g。

现在你知道他们编造的名字了。他们的父母根本不是如此残酷无情的！

非听不可的20世纪80年代

20世纪80年代有个糟糕的开端，年仅40岁的约翰·列农在纽约被谋杀，凶手（一名男子）在谋杀之前的几小时，还向列农索要过签名照片。很快，众多明星开始雇请贴身保镖……

同时，在唱片录音室，一群积极向上的流行音乐明星汇集到一起，带来了完全新鲜的歌声和对80年代的展望。这些音乐家被称为"新浪漫"，他们精致的外表和诗意的、相当"梦幻"的音乐风格，据说是对刺耳、粗暴和阴冷的"朋克"音乐的反击。

疯狂之后的——浪漫主义狂欢会

"斯潘多芭蕾"乐队：70年代，是由学校同学组成的乐队。他们创作时髦的和电子的流行歌曲，《长事短叙》（1980）使"新浪漫主义"首次进入"排行榜前40名"。他们穿镶褶边的衬衫、大大的丝巾和苏格兰方格呢短裙（没有苏格兰风笛……唷！）。

"杜兰杜兰"：主唱西蒙·勒·邦创作了使用大量电子合成器的流畅易记的歌曲。队员精心打理发型（比如用两吨的楔形发卡），上眼部浓妆，戴丝巾。他们的《河》和《像狼一样饥饿》都非常轰动。

“ABC”：受70年代后期的“朋克”、迪斯科和“新浪潮”的影响。主唱马丁·弗赖依有一副充满魅力和富有“怀旧”感的嗓子。歌曲里到处都有精巧的歌词，动听的旋律，极为优雅和流畅（不像“朋克”那样刚硬和粗暴）。专辑《爱的词典》（1982）被音乐批评家盛赞为“80年代早期流行乐的巅峰之作”（你可以找来听听！）。

80年代早期，不是所有的流行音乐迷都穿着丝绸衬衫四处闲逛，并对着新浪漫主义的电子合成器音响悲伤地叹息。相当数量的人们，很喜欢随着感觉良好的“轧轧一拉”的节拍，快乐地去摇摆、跳跃和歌唱。

“疯狂”乐队：完全不属于“新浪漫主义”。他们更像每个人都喜爱的，绝对疯癫的叔叔们，在一支乐队中，集中表演了一切事物。他们的音乐是易记的、拖着脚步来来去去的“斯加”音乐（注释：“斯加”是一种起源于牙买加的城市音乐及舞蹈风格），它持续着“啊—卡—啊—卡卡”的节奏。乐队的名字是取自斯加音乐偶像普林斯·巴斯特的一首歌。他们的歌词中满含幽默，通常是关于成长于伦敦的70年代人，例如《开心屋》和《蓬松的裤子》（1980）。他们穿精干的外套，戴太阳镜和“猪肉馅饼”式的帽子，当他们唱歌和表演时，浑身抽筋式的跳舞。直到今天，他们还在歌唱和演出！“疯狂树干”重组音乐会如今是定期举行（你还等什么？赶紧去吧！）。

某些流行音乐明星比“疯狂”乐队更疯狂……

忘掉所有烦恼，前往“欢乐园”！

迈克尔·杰克逊是80年代最成功的音乐家。他的专辑《颤栗者》创下史无前例的纪录（售出唱片4000多万张），和他的“杰克逊”音乐一样著名的是他古怪的行为和生活方式。他从他的音乐中所获得的巨大财富，使他能够把某些最疯狂的梦想变成现实。下面提及的杰克逊奇异的故事，哪些是真的……哪些是假的？

1. 杰克逊过去常常在一个氧气室里睡觉，为了尽可能久地保持青春外貌。

真/假

2. 杰克逊的农场（“欢乐园”）里，有一座容纳了200只动物的动物园，一个可骑马的游乐场，一座仿造的印第安村庄和一个两层楼高的视频娱乐厅。

真/假

3. 多年来，杰克逊的肤色越来越淡。他承认做过两次外科整容手术，但是否认由于遗传皮肤病而改变肤色的说法。

真/假

4. 有时杰克逊穿女装，以虚构的名字“珍妮特”去旅行。许多人真的以为杰克逊有位叫这个名字的姐妹。

真/假

5. 杰克逊的一位前工作人员透露：杰克逊在没有化好完整的舞台妆之前，从不吃早餐。

真/假

6. 杰克逊的鼻子不是他自己的。这鼻子过去属于“芝加哥节奏布鲁斯”乐队的蒂尼·哈姆斯特朗。

真/假

7. 在1996年的“英式摇滚”音乐颁奖典礼上，当“果肉”乐队的主唱贾维斯·考克，在一群10岁孩子的簇拥下，演唱《农夫在他的小房间里》的流行音乐版本时，杰克逊跳上舞台，开始讽刺考克。

真/假

8. 杰克逊对迪斯尼乐园非常着迷。有一次他戴着外科医生的面具，坐在轮椅上，被别人推着在主题公园里到处玩。

真/假

9. 杰克逊曾经向“英国流行”乐团的皮特·汤森出价50 000美元买他的耳朵。

真/假

10. 杰克逊有一只黑猩猩宠物，叫作“巴布莱斯”。他和巴布莱斯有小型茶话会：在杰克逊的书房里，使用20套不同的配套设备，一起玩上几个小时。

真/假

答案

1. 真的，2. 真的，3. 真的，4. 真的，5. 真的，6. 假的，7. 假的——事实是杰克逊唱这首歌时，考克跳上舞台。杰克逊的服装正好与考克相同。考克觉得太过分了，因此他对着观众，摇摆他的臀部，然后被护送下舞台。8. 真的，9. 假的，10. 真的。

和莫扎特一样，杰克逊很早就开始他的音乐生涯。在9岁时，他就成为“杰克逊五兄弟”——泰姆拉—摩城唱片公司的“节奏灵歌”乐队（由他和四个兄弟组成）的主唱。

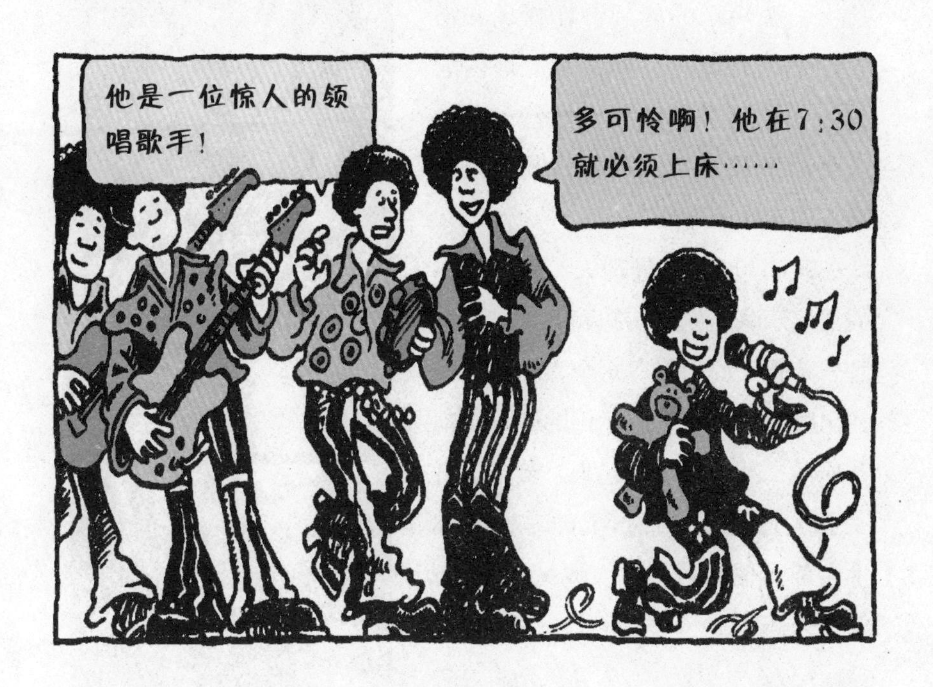

1972年，热门单曲《到那里》大获成功，杰克逊开始了独唱生涯。在年仅14岁时，由于他的流行音乐生涯如此成功，杰克逊已经家财百万（他终于可以不用再给人送报纸了）。生机勃勃的录像、精力充沛的舞步和催眠术式的流行音乐和灵歌音乐的混合风格，让全世界的无数歌迷为之倾倒。

试一试：如何在一夜之间成为一名国际流行音乐和摇滚乐的天皇巨星！

既然你已经如此熟悉音乐，那就会明白：组建一支你自己的流行音乐乐队，去收获名声和财富，不是不可能的。就这么办吧！

你需要的是：

▶ 某些领袖人物的超凡魅力。如果你不能确信自己有没有，回答这么一个简单的问题：在操场和街上，是否有过一大群人毫无理由的包围你？如果有，那么你就有领袖人物的超凡魅力，扔掉你的包袱，准备成名吧！

▶ 巡回乐队经理人（巡回演出的摇滚乐队雇佣的装卸和调试设备及替乐队跑腿的人），这个人在你巡回演出时为你驾车、搬运你的音响设备和乐器，并把它们架起来，检查设备是否运行完好，最重要的是：在你上台前，他要对着麦克风喊“1……2……1……2……”如果让你爸爸担任经纪人，记住……从现在开始他必须梳“马尾辫”的发型，改名为迪德、斯奎福或者诺格尔！

对于迪德、斯奎福或者诺格尔来说！

▶ 宣传策划。你的宣传策划将经常联系各大音乐杂志，刊登评论你的最新单曲和演出的文章，通知杂志你的近期计划，邀请记者为你的海外演出写评论。当你成为天皇巨星时，记者将会纠缠你的宣传策划，取得他们的“报酬”。

▶ 经纪人（或者代理商）。你的经纪人将安排你的演出和唱片录制、发行等事务。更重要的是，为你打理巨额财富。如果请你姑妈埃尔西来担任你的经纪人和宣传策划的话，首先她必须改名为坎迪达、利蒂希娅或者扎里纳，接着拿掉眼镜，把头发染成绿色。

现在，你可以一心一意地向成名之路进发了！

上午7:00：起床，戴上太阳镜，刷牙和梳头，如果你是男孩子，还要刮脸！

上午7:15：用空气吉他（想象的吉他，就像成年醉鬼在聚会上经常做的那样）练习和弦序列（同时要带着不屑的笑容）。

上午7:25：打电话给你的朋友，让他们整理好外表——因为他们是你的队员，上午9点全体集合到你家开会……太阳镜、宽大的T恤和可笑的义务，从现在开始将伴随你所有的时光！

上午9:00：和埃尔西姑妈开会。

上午9:01：取乐队名，越醒目越好。近来最流行的好像是短名字，为什么不叫“扑通”、“污迹”或者“斑点”诸如此类的名字呢？如果觉得这些都不是很好，不用担心，当乐队在下星期五解散（或者重组）时，你就能换个新名字了。

上午11：45：名字决定了吗？现在讨论乐器。如果你买不起真正的乐器，可以使用某些替代品。网球拍和长柄煎锅等都能很好地代替吉他，直到你买得起一把真的吉他（只要保持灯光昏暗，歌迷们也许不会注意到这点）。

小秘密：如果你弹不好你的乐器（或者根本不会），不用发愁。现实中的流行音乐乐手从来不会在成功之路上，暴露他们的音乐无能。“性手枪”的席德·威舍斯曾说过：“只要选择一个和弦，轻拨琴弦……你就已经会玩音乐了！”

下午12：30：整个乐队的拨弦练习。

下午1：00：更多可笑的练习。

下午1：20：在看起来很酷的地方演奏，例如在伦敦西郊的时髦饭店和小餐馆（或者当地的炸土豆条店外面）。

下午1：25：给数以千计的照片签名（……为队员彼此之间）。

下午2：00：去录音棚（你的卧室）。编歌。简单的形式。“绿洲”乐队的诺埃尔曾经把他们的歌曲描述为“……就像愚蠢小孩的押韵诗……”因此这不会是个大问题。

下午3：00：签订唱片合同（彼此之间）。录制唱片，用双卡磁带录音机翻录大量唱片。

下午3：30：去唱片商店，向他们兜售唱片。

下午3：45：再次去唱片商店，把唱片买回来。为什么？这样就会销量猛增，因此，你的单曲肯定能进入排行榜！一旦进入前30名，你就会有“空中时段”（电台播放单曲），每个人都将疯狂抢购你的唱片，没多久，你就收回自己的本钱了！

下午4：00：在非常疯狂的吉他独奏中，鼓手意外的失败了，之后，其他乐队蜂拥而起。让姑妈埃尔西，对不起，还是让姑妈扎里纳打电话给音乐杂志，比如《新音乐快讯》、《旋律制造者》等等。宣布乐队马上就要解散的消息。给他们一份已经拟好的大标题，类似于"'球棒'队就要解散！"让乐队队员的小妹妹和小弟弟们聚集在大门口呜咽、哭泣和恳求你们不要解散（许诺事后给他们10便士）。

下午4：10：危机解除，所有队员重聚。在当地公园举行重组演出。

下午4：20：埃尔西姑妈发布（或散发）即将举行世界巡回演出的消息（或谣言）。所有队员穿上大外套，戴上墨镜，来到当地的飞机场……火车站……汽车站——在附近绕一圈。

下午4：40：回家。

下午5：00：不利的消息反而有利于提高知名度。尽快地挑选这类消息并告诉妈妈：她将不得不和你的经纪人约个时间，讨论有争议的"不整洁卧室事件！"

下午5：30：现在，乐队已经闻名世界了。当地的小孩（你的堂表兄弟姊妹）和迷路的日本游客在前门外至少乱转了半分钟。

下午5：45：冷静地待着！把握住名声。掩上所有的窗帘。夜晚无聊时看看电视。

晚上8：59：令人吃惊的消息！录音带已成白金专辑（正适合将它放在散热器的顶部）。

20世纪90年代

20世纪90年代早期，统治音乐排行榜的是节奏单一的美国音乐和舞曲音乐，简单和反复的歌词，闪烁的灯光（在大多数情况下没有别的东西）。一些人（在英国）开始回顾多姿多彩的60年代，怀念他们美好旧时光里的流行音乐，那时候，乐队们使用有某种特定含义的歌词，和让你听后在脑海里不停萦绕的曲调，演唱严格意义上的歌曲。大多数音乐爱好者和评论家都持这样的观点：英国的流行音乐的乏味状态，也许持续不了10年。

然后，正当流行音乐可怕的疲软期完全结束的时候，出现了一批新乐队，如“污迹”，“山羊皮”，“果肉”和“绿洲”，他们让歌曲有了幽默感和思想，歌词不止一个音节……而且曲调变得适合用口哨吹奏，易于歌唱，便于哼哼……于是，“英国流行音乐”诞生了！

在“绿洲”出现之前有3种英国流行音乐的形式

“果肉”：1981年成立时，领唱贾维斯·考克还在上学。他说他组建了一支乐队。

他们的第一场表演是在学校的餐厅！

1994年他们的专辑出版了，然后“果肉狂”形式的音乐开始流行。他们的歌曲中有种疯狂、紧张的感觉，经常是描述和女孩子的情感故事。报上的评论这样形容“果肉”：“从70年代的歌曲风格和80年代的电声迪斯科脱胎而来”，“每首歌都像一部剧烈的情节剧。”

“污迹”：被誉为英国流行乐坛的急先锋。他们曾经被称为继“披头士”之后英国最棒的乐队。1993年，《新音乐快讯》称“污迹”的音乐是“能一下子抓住人，并具有充满起伏的旋律”。专辑《现代生活是垃圾》（1993）——被形容成具有一种“根植于‘奇想’乐队音乐的古典英国之声”。1994年，他们的唱片集《猎园生活》在全世界售出了200万张。

“山羊皮”乐队：他们出专辑前就出现在《旋律制造者》的封面上。他们是20世纪90年代登上排行榜的第一支乐队，他们的歌词言之有物，不像有些歌词本身没什么意义，为了押韵拼凑而成。1992年，《观察者报》说：“‘山羊皮’的歌词具有音乐上的煽动性（挑战性和争议性），他们的音乐是相对传统的——他们的声音带有明显的旧式迷人摇滚风格的痕迹。”他们的专辑《山羊皮》（1993年）被称为对“感觉迟钝的人”和“感情细腻的人”都有吸引力。

当流行音乐爱好者们，在音乐沙漠里迷失方向的时候，他们发现了……“绿洲”！

时不时地，专家们宣布流行音乐陷于绝境。然后，当他们说：“噢，现在一切都完了，再也没有像‘披头士’或者‘滚石’、‘REM’这样的乐队了，但是猜猜什么事情发生了？一支全新的、激动人心的天才乐队出现了，它就是‘绿洲’！”

“绿洲”的档案

成员：诺埃尔·盖拉格（出生于1967年）——吉他手/歌手/所有歌曲的创作者；兰姆·盖拉格（出生于1972年）——歌手——经常被诺埃尔亲切地称为“我们的孩子”；保罗·阿曼瑟斯（出生于1972年）是乐队的主心骨——节奏吉他手；保罗·麦圭根（出生于1971年）——贝司手；艾伦·怀特——鼓手。

- 籍贯：曼彻斯特
- 最喜欢的足球队：曼彻斯特城市队
- 乐队名称的由来：因“披头士”在曼彻斯特进行第一场演出的地点而得名
- 录音公司：创造唱片公司
- 第一首单曲：《超声波》
- 第一张专辑：《绝对疑虑》
- 第二张专辑：《昙花一现》或译为《这是个什么故事（早晨的荣誉）》
- 第三张专辑：《全体集合》
- 最盛大的演出：1996年在奈伯沃斯公园（在英国哈德福郡）

和罗蒙德湖的室外演出。100万音乐爱好者中几乎有三分之一的人观看了演出。门票在9个小时内就售光。

▶ 另外的传闻：兰姆和诺埃尔·盖拉格，因彼此争吵不休而闹得声名狼藉。1996年年底，一家音乐杂志说："绿洲"由一支乐队而开始，由一出肥皂剧而结束！

▶ 事业前途：一些音乐批评家已预测，"绿洲"最终将和"披头士"一样壮大……您也这么想吗？

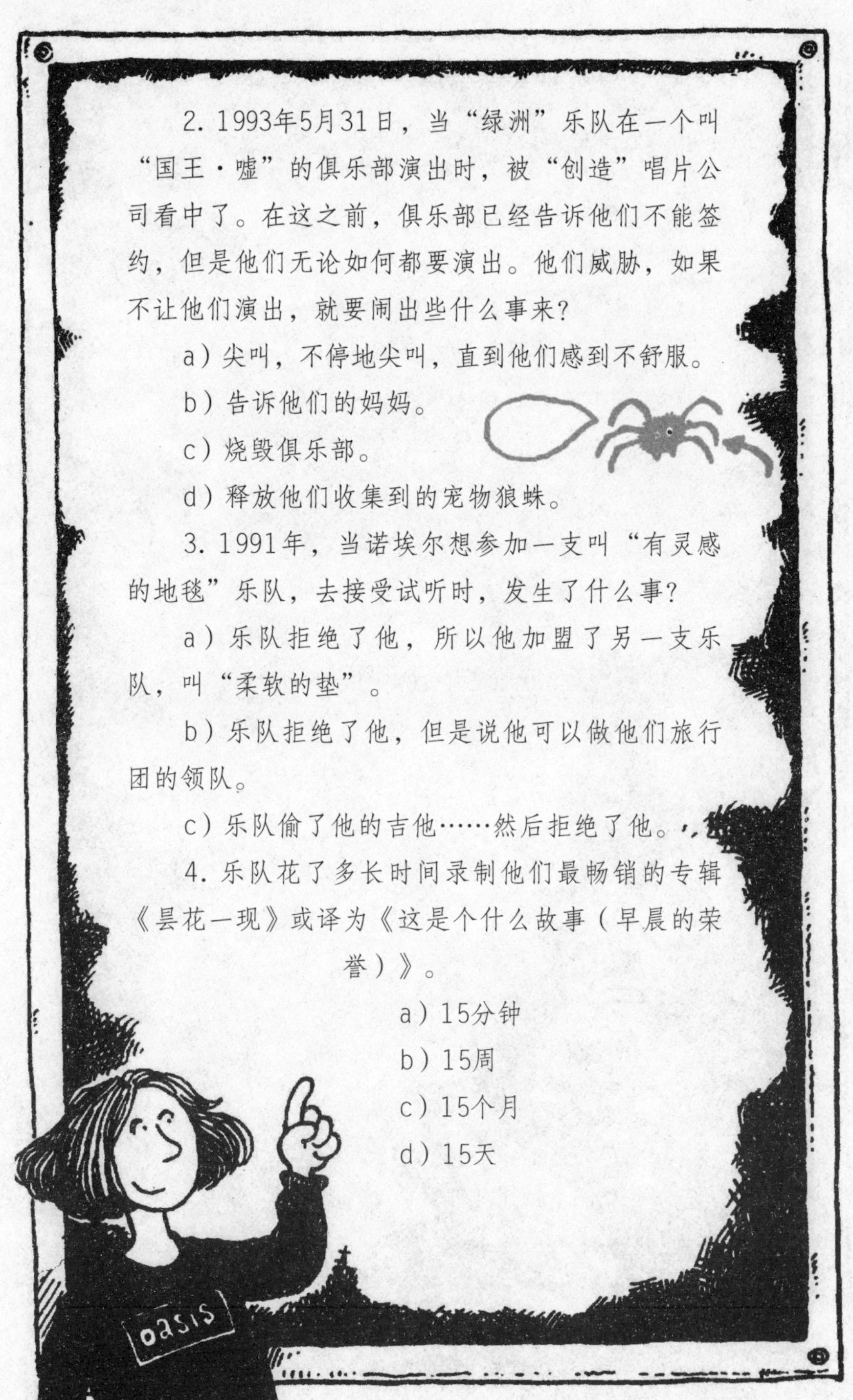

2. 1993年5月31日，当“绿洲”乐队在一个叫“国王·嘘”的俱乐部演出时，被“创造”唱片公司看中了。在这之前，俱乐部已经告诉他们不能签约，但是他们无论如何都要演出。他们威胁，如果不让他们演出，就要闹出些什么事来？

a）尖叫，不停地尖叫，直到他们感到不舒服。

b）告诉他们的妈妈。

c）烧毁俱乐部。

d）释放他们收集到的宠物狼蛛。

3. 1991年，当诺埃尔想参加一支叫“有灵感的地毯”乐队，去接受试听时，发生了什么事？

a）乐队拒绝了他，所以他加盟了另一支乐队，叫“柔软的垫”。

b）乐队拒绝了他，但是说他可以做他们旅行团的领队。

c）乐队偷了他的吉他……然后拒绝了他。

4. 乐队花了多长时间录制他们最畅销的专辑《昙花一现》或译为《这是个什么故事（早晨的荣誉）》。

a）15分钟

b）15周

c）15个月

d）15天

5. 签约前，“绿洲”乐队坚持要“创造”唱片公司的常务董事做什么？

a）清洁他的牙齿。

b）替他们在吐司面包上装豆子。

c）换掉他的曼联队衬衣。

d）在摔跤中打败整个乐队。

6. 下面哪些是诺埃尔喜欢的1996年的3张专辑？

a）《狂躁的街道传教士——万事必备》。

b）第三张“披头士”选辑。

c）《藏笛曲A—Goo—Goo》。

d）《昙花一现》。

e）《莫斯利浅滩的海景》。

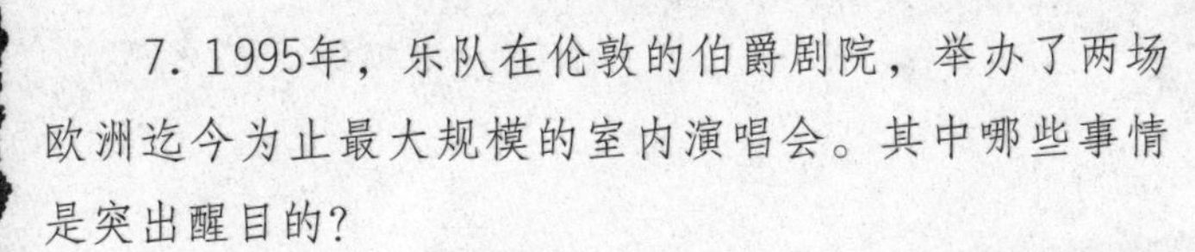

7. 1995年，乐队在伦敦的伯爵剧院，举办了两场欧洲迄今为止最大规模的室内演唱会。其中哪些事情是突出醒目的？

a）无数的观众很快耗尽了音乐大厅中的氧气，演出被迫推迟，直升机把制氧设备运进大厅。

b）歌迷上蹿下跳的重量总和，使伯爵剧院下沉了一厘米。

c）音乐是如此的大声，以至于临近地区肯辛顿和切尔西报告发生了地震（微型地震）。

8. 1993年，和“创造”唱片公司签署的唱片合同中，诺埃尔提出一个要求：在“绿洲”乐队以后极受欢迎时，他应该得到一笔特殊的奖赏。是什么？

a）唱歌的课程。

b）一辆巧克力色的劳斯莱斯轿车。

c）已付费的曼彻斯特五人周末游。

d）一生的雀巢公司“聪明豆”的供应。

e）钱。

答案

1. a，诺埃尔向乐队展示了他在乐曲创作和音乐鉴赏力方面的才华，在这种情况下，艺术上他完全控制了队员——队员说“是”；

2. c；

3. b，诺埃尔参加“有灵感的地毯”乐队时还是“吉他技工”，和他们一起在美国巡回演出时，学会了他们的演奏方式，决心让自己“能够做得更好”；

4. d；

5. c；

6. a，b，e，诺埃尔极端崇拜“披头士”，说他真的希望自己“能够创作出约翰·列农所有的歌”；

7. c；

8. b，诺埃尔确实得到了一辆性能优秀的、巧克力色劳斯莱斯轿车。“创造”唱片公司的老总，把它作为1995年的圣诞礼物送给他。当他看见车时，他说：“好了，我能用它做什么？我不会开车！”

音乐在不断地更新，难道不是吗？流行乐坛一直在自我更新和自我创造——旧明星慢慢过气，他们给人们的震撼随着时间而流逝，这是很常见的。新人……新观点……新音乐＝给数以百万计的人们带来新的听觉享受。

最后的评述

还记得唱片公司主管对“披头士”不理不睬时所说的话吗？“吉他乐团正要灭亡！”那一天，他肯定把他的水晶球（占卜用）放在家里了。他语义上的重点明显不是指乐团才能上的缺乏。然而现在回头想想，整个事件可能会有些混乱，难道他真正的意思是指：吉他乐团会“摆脱困境”，这是作为一种赞美吗？从20世纪60年代早期开始，排行榜上就只有吉他乐队（几乎全是！）——最大的原因是“披头士”。就像“披头士”被猫王艾尔维斯·普雷斯利和查克·贝瑞所激励，“披头士”的无与伦比的成功，也会继续激励未来一代的青年音乐迷，拿起吉他，努力去成为下一支“披头士”乐队。某些乐队，像“绿洲”，确实已经很接近“披头士”了，但是至今，还没有一支乐队能真的媲美“披头士”那难以置信的成功或者超过他们。不过谁知道呢？可能会有某些15岁以下的音乐疯子，在这一非常时刻（或者阅读此书时），拨动他们的吉他弦，他们力争成为顶级乐队，他们将会创造21世纪使人兴奋的音乐吗？让我们期待吧！

无休止的流行音乐，从A到Z

以下的字母表，是关于“地球上的流行音乐”，一场竞选活动式的无休止的爵士乐。它将使你享受到曼妙动人的流行音乐，你可以试一试。如果你想听听，你必须做到：冲进当地的音乐大卖场，装上6至7袋CD或者两纸箱磁带，然后去听！

另一方面，如果你的钱全花在你的金碟CD播放机上了，你可以到当地唱片图书馆，借那儿的某些唱片。多数图书馆只需付少量费用，就可以在所有种类的乐曲中做个从容的选择——不过要确保自己及时归还……即使你对这些唱片爱不释手。

最后，如果你实在是没钱，就像许多成年人做的那样，找个收藏大量唱片的朋友吧！

A—A.O.R. 专供成人欣赏的摇摆乐（朋克摇滚的先驱，某种父母辈的人倾听的音乐）。有时称为“MOR”（大陆摇滚），例如菲尔·柯林斯、斯汀、雪莉·可洛、“恐惧海峡”乐队。

B—Bhangra 从亚洲民间舞曲——一种用鼓槌敲击木桶形状的鼓作伴奏的音乐形式，发展而成的英国亚裔流行音乐现在也使用更多的乐器，包括吉他、萨克斯管和手鼓（两个鼓，用手指和手掌敲击）。例如巴利沙古、“沙非男孩”乐队。

C—Country 乡村音乐美国的“牛仔男孩/女孩”风格的民间音乐。起初以“山地音乐”而闻名，如今已风行全世界。歌手的声音与吉他声都是非常“紧绷”的。例如桃丽·芭顿、爱美萝·哈里斯、南奇·格里菲斯、威利·纳尔逊。

D—Disco 迪斯科起源于70年代。在迪斯科舞厅演奏的节奏强劲，有时像催眠术式的舞蹈音乐。例如“乡村人”乐队、“地球”乐队、“风和火”乐队。

E—Electronic　电子使用大量现代化的高科技乐器，比如用电子合成器去创造“太空时代”的声音，那是你无法从其他乐器中获得的（对于乐器力量的减弱，音乐家有病态的恐惧）。也被称为是“技术”。例如“环行公路”乐队、“球体”乐队、“发电站”乐队。

F—Folk　民歌普通人的音乐——全世界都在很久很久以前就有了。不但有表述乡村的、郊外的和美好的东西，而且有对不公正的反抗。加入电吉他的现代版本别称为“民谣摇滚”。例如“费尔波特协定”乐队、鲍勃·迪伦、琼·贝兹。

G—Garage　一种家庭制作、粗糙和富有现场感的流行音乐，通常在……车库里录制（仔细听，你甚至会听到伴随着车库门的开关而传来的窃窃私语声！）例如“种子”乐队、“纳齐”乐队。

H—HipHop　嘻蹦乐80年代早期的黑人音乐，通常由富有力量、杂技式的和具有“爆发力”的舞者在室外表演，便携式立体声录音机伴奏，后来发展成“说唱”。例如“德·拉·灵魂”、“人民公敌”乐队、“难民营”合唱团。

I—Indie（独立的简称）不属于流行音乐工业的主体（好像这一音乐有助于音乐工业）。比起赚上几十亿美元，它更关注制作新颖和使人满意的音乐。就像是成功的独立音乐小虾米，被庞大而饥饿的唱片工业大鲨鱼消耗殆尽。例如“江湖郎中”乐队、“婚礼礼物”乐队。

J—Jungle 有点像说唱，但是是由更多的乐器奏出的一种更为丰富的声音与其说是在唱歌，不如说是在大喊、说话或有节奏的反复吟唱一个调子（就像说唱）。例如戈尔迪。

K—Krautrock 德国摇滚流行音乐迷（和德国摇滚的音乐专家们）给德国式的“激进摇滚”（注释：又称艺术摇滚）所起的名字——大音量、大量的电子合成器和对吉他和弦的大量使用。例如“橙色梦幻”乐队、“罐头”乐队。

L—Lo—fi 低保真简单（不过很有潜力）的流行音乐，不在充斥着尖端精巧录音设备的录音棚里灌唱片。更多的是感情和热诚，而不是熟练和技巧（难道是在车库里录制的吗？）。例如“西巴多”乐队、“艾里克的迷幻之旅”乐队。

M—Metal　金属发端于20世纪60年代的白人节奏布鲁斯乐队，就像是“奇柏林飞船”乐队，但是到了70年代，乐队的音量剧增，同时变得极具攻击性。也被称做“重金属”或“激流金属”。新的听众被建议要戴上至少三重耳塞。例如“枪炮与玫瑰”乐队、米特·洛夫、“铁娘子”乐队。

N—NewWave　新浪潮“朋克”音乐革命后，清新、优雅和生机盎然的流行音乐，与“朋克”相比，更为优美、思想细腻和听起来没有一点疲倦感。例如艾维斯·卡斯特罗、“金发美女”合唱团、“传声头像”合唱团。

O—OldGreyWhistleTest　老看门人的口哨检验法，这是流行音乐作曲家创作新歌时，要做的事情——在录音棚里，对着年老和头发斑白的看门人演唱。如果看门人听完后吹口哨，他们就知道这歌将会大获成功（这也是70年代电视摇滚演出的名字）。

P—Progressiverock　激进摇滚20世纪70年代，和“华丽摇滚”有关的摇滚乐。企图使流行音乐由简单的单曲发展成具有一个大的主题“概念”的艺术专辑（几乎像古典交响乐）。例如“平克·弗洛伊德”演唱组、“是”乐队、“深紫”乐队。

R—Reggae　雷吉音乐由“斯加”（牙买加的一种流行音乐）发展而成的牙买加风格的流行音乐。贝司的敲击形成持续的、有规律的，且节奏感很强的节拍。通常由体形巨大的说唱者来表演，以“发声器”而闻名。还有鲍伯·马利和“号啕者”乐队、“大青年”乐队、“密友与梅托尔斯”乐队。

S—Soul　灵歌开始是作为福音音乐的非宗教形式，混杂着忧郁的情感（参考第87—88页）。汹涌而出的情绪常常由高亢的铜管乐支撑。歌手和乐器常常好像在呜咽和呻吟。节奏感更强的话，就发展成泰姆拉—摩城的音乐风格。例如山姆·库克、艾瑞沙·富兰克林、奥蒂斯·瑞丁。

T—Teeny—bop　年轻歌迷喜欢的音乐——尽管年长的听众不满意，还是极为流行和成功，有时被不客气地描述为“无聊的音乐”。例如“辣妹”、“接招”合唱团和“男孩地带”。

U—Underground　地下音乐非主流流行音乐，常常跟随着狂热的“信徒”。众多的流行音乐潮流（像“朋克”）开始时，都是“非主流音乐”，最终上升到阳光下，盛行一时。例如“地下丝绒”乐队、“星”乐队。

V—Video　音乐电视录影带用来提高新发布的唱片的销量。第一次的成功使用是1975年的“皇后”乐队，为了增加《波希米亚狂想曲》的销量。

W—World　来自于其他文化的流行音乐就像X，Y，Z……

X—Xhosa—Traditional　20世纪50年代的南非流行音乐常常和美国爵士乐风格相混合。例如“树林和啄木鸟”乐队。

y—Yopop　来自于尼日利亚（西非）的充满跳跃的节奏的流行音乐被认为是“充满雷声和闪电”。例如塞根·阿德沃尔。

Z—Zydeco　美国非裔流行音乐，来自于布满沼泽的路易斯安那州的乡村（并受到当地法国人后裔的影响）音乐上的特征为：持续的节拍重击，使用手风琴、吉他和一块巨大的波浪状的金属胸片——由音乐家绑在胸前，然后在演奏时重击或刮擦它，获得特定的音响效果。例如博·比恩若克、克里夫顿·夏尼尔。